Jim Kelly's More guitar Workshop

Improve your playing in rock, blues, jazz, funk, latin, and r&b styles

Learn to play in the style of guitar greats like Wes Montgomery. Jeff Beck, and more

Develop your own approaches using the play-along tracks

Phrase your own solos in new ways by using the techniques of master guitar players

ATN, inc.

ジム・ケリーからの謝辞

まず、家族のみんなに感謝します。初めてのエレクトリック・ギターを買ってくれたことを含め、人生のすべてのステップで援助を与えてくれた、両親の*Jim*と*Ann*に。愛とサポート、そしてこの音楽を作るための部屋を準備してくれた、妻*Meg*に。素晴らしい子供たち、*Matt*と*Kate*に。

楽譜に生命を与えてくれたバンドのメンバー、*Jim Odgren*、*Bob Tamagni*、*Bob Killoran*、*Christian Bausch*に感謝します。

バークリー音楽大学には、謝辞を述べなければならない人が大勢います。その中でも特に、本書の出版に力を貸してくれた*Larry Baione*、*Rick Peckham*、*Tony Marvuglio*、*Matt Marvuglio*、*Larry Monroe*、*Tom Riley*に感謝します。そして、Fender Musical Instrumentsの助力に感謝します。

最後に、これらの曲を練習してくれた、大学と海外のすべての学生たちと友人たちに感謝します。きっと、何曲かは見覚えがあるでしょう。

Jim Kelly

Credits

Audio
Jim Kelly: Guitar
Bob Tamagni: Drums
Jim Odgren: Alto Sax
Bob Killoran: Electric Bass
Christian Fabian Bausch: Acoustic Bass
Rob Jaczko: Producer/Engineer
Tony Marvuglio: Associate Producer
Mike Barrett, Alex Chan and Tracy Vail:
Assistant Engineers

Project Manager
Debbie Cavalier

Original Civer Design
Dave Miranda

Layout
Dave Miranda

Copyediting
Lisa Burrell
Jonathan Feist

Text Transcription
Steve Melisi

Special thanks to:
President Lee Eliot Berk
Gary Burton
Dave Kusek

Additional thanks to:
David Mash
Bill Scheniman
Sherry Baker
Mark Wolinski
Joe Hostetter
Rob Hayes
Rob Rose
Dorothy Messenger
Kim Grant
Eric Hanselman

Audio CD

1	A Little Wes			4:32
2	Still Pretendin'	distorted solo		3:26
3	Still Pretendin'	clean solo		3:26
4	Bouncin' With Rick			2:50
5	Study in G Minor (Two Down, One Up)			1:48
6	Fellini			1:07
7	Meterman			5:16
8	Mut & Jeff			6:26
9	Tuning Notes			0:22
10	Used Blues			0:55
11	Used Blues		No Guitar	0:55
12	Song for an Imaginary Vocal (Acoustic Style)			4:30
13	Song for an Imaginary Vocal (Acoustic Style)		No Guitar	4:28
14	Latin-Style Blues	pick		1:14
15	Latin-Style Blues	fingers		1:16
16	A Little Wes		No Guitar solos	4:32
17	Still Pretendin'		No Lead Guitar	3:26
18	Boucin' With Rick		No Lead Guitar	2:48
19	Meterman		No Guitar	5:16
20	Mutt & Jeff		No Guitar solos	6:20

Contents

モア・ギター・ワークショップは、***Kenny Burrell***、***Mike Stern***、***Pat Metheny***、***Joe Pass***、***Wes Montgomery***、***Jim Hall***、***Jeff Beck***、***Jimi Hendrix***、***Stevie Ray Vaughan***などの、ジャンルを越えた偉大なギタリストたちの演奏スタイルを学ぶのに役立つようにデザインされています。バンド演奏と、マイナス・ワン (play-along) のトラックによって、偉大なギター・プレイヤーたちのテクニックを使用して、新たな方法で自分のソロを組み立てていく方法が学べます。バークリー音楽大学の教授であるジム・ケリーは、このようなアイディアを、本書と付属のCDによって、分かりやすく紹介しています。ジム・ケリーのソロを聴けば、これらのプレイヤーたちのサウンドを、ジム・ケリーがどのように身につけたかを知ることができますし、マイナス・ワンのトラックを使えば、自分自身のアプローチを磨くことができます。

「自分の演奏を向上させる最も良い方法のひとつは、偉大なプレイヤーたちのテクニックを学び、見習うことだ。このジム・ケリーによるギター・ワークショップは、より高いレベルのプレイヤーやインプロヴァイザーを目指す、すべてのギタリストに役立つテクニックを、実に分かりやすく紹介してくれる」

Gary Burton

Jim Kelly

著者について

ジム・ケリーは、バークリー音楽大学のギター科の教授です。ギター科の講師陣の中心的な存在であるケリーは、同校の**オン・ザ・ロード・シリーズ**のクリニックで、ヨーロッパ、南アメリカ、日本など、世界中に赴き、レッスンや演奏を行っています。ケリーは、20年以上にわたり、ギタリストを目指している何千もの学生たちと親密に勉強を重ね、彼らのテクニックやフィールの向上をはかり、彼らに自信を与えてきました。彼は、長い間、バークリー講師陣の間でも、もっとも信頼されているギターの指導者です。

ケリーは、さまざま状況での演奏経験を経て、それを多様で実践的なレッスンに役立ててきました。彼は、スウィング・ブルース・ギタリストの*Duke Robillard*、コンテンポラリー・ミュージカルRent、ロック歌手の*Peter Wolf*などと演奏しています。また、**小曽根誠**、*Stu Hamm*、*Bill Frisell*、*Gary Chaffee*、*John Abercrombie*、*Gary Burton*をはじめとする、数多くの素晴らしいバークリーの卒業生たちなどと共演しています。本書の付属CDの演奏は、長年、自分のオリジナル曲やギター・プレイを披露しているケリーのバンド*Sled Dogs*で、彼らのCD**The Music of Jim Kelly**がRAM Recordsよりリリースされています。

Berklee Press

バークリー・プレスは、音楽を学ぶ最高の教育機関として名声を博しているバークリー音楽大学の公認の出版部門として、その一翼を担っています。バークリー・プレスは、優れた品質の、実際に役立つ本やそれらに関連したビデオ・テープやDVDを制作してます。これらの製品は、コンテンポラリー・ミュージックの教育のすべてを含む、パフォーマンス、イヤー・トレーニング、ハーモニー、作曲、作詞、編曲、フィルム・スコアー、ミュージック・セラピー、プロダクション、エンジニアリング、シンセシス、ミュージック・テクノロジーなどを包含する音楽に関連するすべての分野に焦点を合わせてあります。これらの製品は、ミュージシャン、学生、指導者や音楽を趣味として学ぶ人たちなど、すべての人に同じように豊かさと成功を高めるために作られたものです。

Berklee College of Music

1945年にボストンに創立されたバークリー音楽大学は、世界最大の独立した音楽大学で、コンテンポラリー・ミュージックの学習においては、最高の教育機関です。同校の3,000人の学生と300人の講師たちは、現在の音楽産業の活動の場を提供されるあらゆるチャンスを包括する環境の中で、互いに切磋琢磨し合っています。バークリー音楽大学の学生の全体の3分の1は、ギター科の学生です。

はじめに

モア・ギター・ワークショップへようこそ。まず最初に、本書は、このシリーズの第1巻**ジム・ケリー／ギター・ワークショップ**をまだ見ていない人でも安心して使用できるようにデザインしてあります。本書は、2冊のシリーズにはなっていますが、内容的には、第1巻から順番に使うように構成されたシリーズではありませんので、第2巻からでも安心して使うことができます。本書には第1巻と同じように、さまざまなレベルの曲が、収められています。

独学で勉強している人には、まず、楽譜を見ながらCDを聴く方法を勧めます。あなたの経験によって、どこから始めるか、どの曲を後に回すかなどを選択することができます。もし、あなたが指導者なら、楽譜に目をとおして、生徒のスタイルに最も適し、生徒に役立ち、そして、願うことなら、生徒が努力する気を起こすような曲を選ぶことができます。

曲によっては、練習を意図しているものもありますが、実際に、私がコンサートやクラブで演奏している曲もたくさん収められています。大部分の曲は、過度のリハーサルを必要としないので、バンドで演奏するのに最適です。

本書の題材の最も効果的なところは、バンドで使うことができるということでしょう。付属のCDの後半には、ギター·パートを省いたマイナス·ワン·トラックが収録されているので、一緒に演奏するプレイヤーがいない場合も心配することはありません。レコーディングは、できる限りライヴのフィーリングを生かすように行いました。

本書が、あなたのギターと音楽を楽しみ、学習を着実に進めるために役立つことを願っています。

Jim Kelly

Lead Sheets

A Little Wes

CD Tracks
Band　　　1
Play-along　16 (no guitar solo)

最初のメロディー：2コーラス
ギター・ソロ：4コーラス
最後のメロディー：2コーラス

これは、ギタリストなら誰でも憧れるもっとも偉大なジャズ･ギタリストのひとりである *Wes Montgomery* に捧げた曲です。この曲のハーモニーとフィールは、*Wes*が作曲し、演奏したいくつかの曲とよく似ています。曲は16小節のフォームで、キーは基本的にはGマイナーです。実際、曲の大部分は、Gマイナー･ブルース･サウンドのままなので、耳で聴きながら理解することができるでしょう。

この曲の難しい点のひとつは、直接このキーと関係のないアルペジオやスケールを、いつ、どのように利用するかということを理解することです。*Wes*は、これを信じられないほどうまく行っています。それは、例えば、この曲の4小節めのGm7が$G7^{(\flat 13)}$に移行するところで、*Wes*は、$G7^{(\flat 13)}$からCm7に進行するようなところでは、ヒップなサウンドのスケールやアルペジオのラインを使って解決しています。ブルース･サウンドは、もちろんここでも使えますが、しかし、少し研究することで、あなたのソロにこのようなジャズらしいフレーズを加えることができるようになり、もっと多くの選択が得られるようになります。

耳だけを使った演奏の現実的な欠点は、適合するコード･スケールや音が何かということをただ推測しているだけで、多くの素材を見過ごしてしまうことにあります。例えば、B♭m7からE♭9に進行している6小節めを例にとります。ここでは、単純に、いくつかの音が合わないので、ブルース･スケールが最善の選択とはいえません。このセクションは、他とは異なり、不安定で頼りない感じがするので、コード･トーンを中心に、演奏するようにします。B♭m7とE♭9のどちらのコードも、B♭ドリアン･スケール（A♭メジャー･スケール）に関連しています。コード･トーンに他の音を加えた時に、どのようなサウンドになるかをよく聴いてみましょう。

キーをシフトさせていくように、コードを心地よく感じたり、理解するまでには、長い時間がかかります。多くの曲では、同じキーの中のほとんどのコードはグループにまとめることができますが、別のキーから取り込まれているノン･ダイアトニック･コードが使われているところもあります。このような部分を勉強していくことにより、ソロのラインをつなげていくことができるようになるでしょう。

このレコーディングでは、8小節のイントロ･ヴァンプを演奏しています。この種のイントロでは、フレーズの長さが典型的な4小節になっていても、オープン（長さが設定されていない）になっていることがよく見られます。メロディーは、初めに2回演奏し、それから、*Wes*ならこう弾いたかもしれないようなアイディアに基づいたサウンドにするつもりで、記譜されたソロを1コーラス演奏しています。このソロは、最初から終わりまで、*Wes*が好んでいた、低いポジションと音域で演奏しています。私は、より*Wes*に近いサウンドを創りだすために、ピックの代わりに親指を使っています。

このスタイルで、*Wes*以上に流暢に弾ける人は誰もいないと思いますが、素晴らしいサウンドを生み出すことができるので、いろいろ試してみることも必要です。このようなスタイルで演奏するには、すべての音を親指でピッキングしても、あまり効果がないので、スライドなども試してみるとよいでしょう。

ソロの後、メロディーを1回か2回演奏します。エンディングは、イントロのコード進行を使ったヴァンプです。ライヴ演奏では、フェード･アウトして終わるようにしましょう。

A Little Wes

Jim Kelly

WRITTEN SOLO CHORUS
G-7 A-7 G-7 A-7 G-7 A-7
G-7 G7(b13) C-7 F9
Bb-7 Eb9 A-7 D7(b9)
G-7 A-7 G-7 A-7 G-7 A-7
G-7 Eb9
D7(#9) G-7 C9 D7(#9)
A TOP OF 2ND CHORUS SOLO
G-7
CONTINUE SOLOING
CODA
G-7 A-7
REPEAT & FADE

Still Pretendin'

CD Tracks

Band	2 (distorted solo)
	3 (clean solo)
Play-along	17 (no lead guitar)

イントロ：8小節
最初のメロディー：1コーラス
ギター・ソロ：3コーラス

この曲は、アコースティック・スタイルのグルーヴで、ペンタトニック・タイプのソロ・アプローチを行っています。これは、3つのキーに基づく、16小節の曲です。8小節のイントロは、Eペダル（ベース音E）上で、Eのキーの**I**コードから**IV**コードに進んでいます。このコード進行は、この曲の、後半の8小節のコード進行でもあります。最初の6小節は、Aのキーの**IV-I**進行になっており、7小節めと8小節めは、Gのキーの**IV-I**進行になっています。

この曲では、Eメジャー・トライアドを除いて、他のすべてのコードにadd9という表示があることに、気がついたでしょう。このコードは、メジャー・スケールの1st（1度）、3rd（3度）、5th（5度）、9th（9度）の音から構成されており、7th（7度）の音は含まれていません。

Cadd9のコード・トーンは、C、E、G、D音にです。9thの音は、スケールの2nd（2度）の音と同じ音です。コードを演奏する時の音の順番は、例えば、1st、5th、9th、3rdなどのように、さまざまに変化します。このコードのサウンドは、いろいろなスタイルのコンテンポラリーミュージックに使用され、そして、この曲のようなアコースティック・スタイルのリズム演奏にもよく用いられます。

Aadd9のヴォイシングには7thの音が含まれていないので、メジャー7thやドミナント7thコードの代理コードとしても使用することができます。また、トライアドの響きを少しシャレたものにするために、Aの代わりにAadd9を使用することもあります。

Cadd9に関連するコードには、C2やCsus2があります。C2はコードの1st、2nd、5thの音、つまりC、D、G音から成り立ってます。このヴォイシングに1stか5thの音を重ねることもよくあります。このヴォイシングには3rdの音が含まれていないので、メジャー・トライアドやマイナー・トライアドの代理コードとして、Em→Cの代わりに、E2→C2などのように使うことができます。

この曲の中で使用されているコードのヴォイシングは、下の譜例のとおりです。CDをよく聴いて、リズム・フィールをつかみ、いろいろなヴァリエーションも考えてみましょう。アコースティック・ギターやエレクトリック・ギターで、16分音符のコンスタントなストロークの練習をすることができます。メロディーはシンプルです。他にも、好みで、スライドやベンドを加えてみましょう。一番難しいところは、ソロの演奏です。キーの変更に慣れるのに、少し時間がかかるでしょう。このメロディーには、多少フォーク・フィーリングが含まれているので、そのグルーヴに適したラインを考えてみましょう。

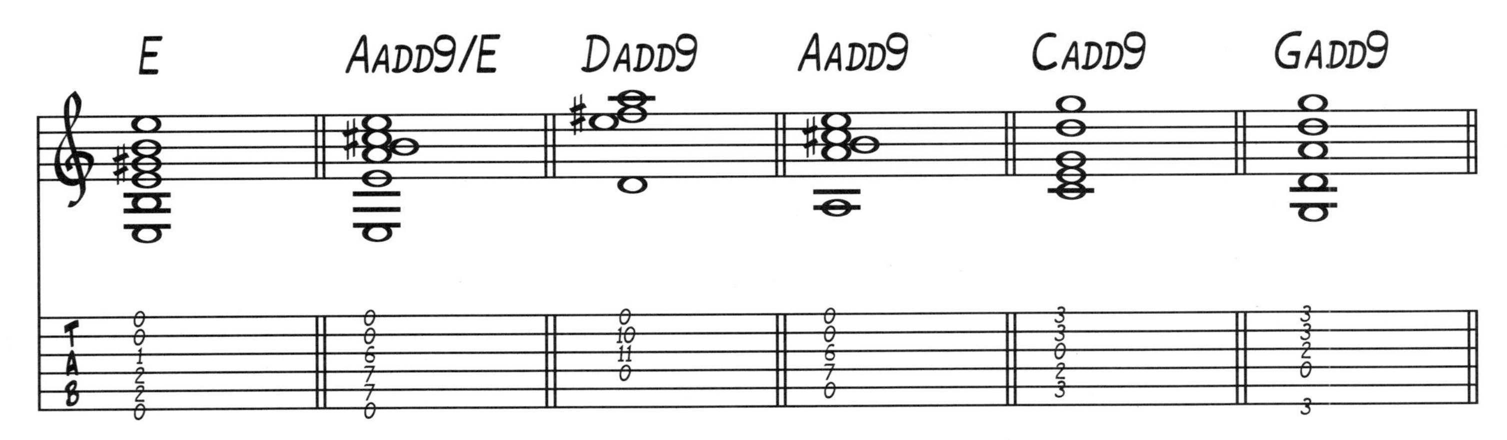

Still Pretendin'

Jim Kelly

Bouncin' with Rick

CD Tracks
Band　4
Play-along　16 (no lead guitar)

イントロ：2小節
最初のメロディー：1コーラス
ギターソロ：3コーラス
最後のメロディー：1コーラス（タグを含む）

この曲は、ギター4本、ベース、ドラムスという編成のバークリー講師のグループ*Guitar Frenzy*のために、彼らがコンサートで演奏するのにふさわしい曲として書きました。バークリー音楽大学のギター科の副主席教授である*Rick Peckham*が、このコンサートをまとめてくれました。彼は、私が数多くの曲を作曲しているのを知っているので、このコンサートのために、何曲か提供するように依頼してきました。これは、その時に提供した中の1曲です。この曲のヘッドは、一部*Charlie Parker*で、一部*John Scofield*ですが、これは*Rick*が得意とするところです。

この曲は、ジャズでは標準的な32小節の**AABA**フォームです。各セクションは、8小節の長さで、3つの**A**セクションは、コードもメロディーもまったく同じです。メロディーはブリッジより、**A**セクションの方が難しいと思います。p.48～49ページのフィンガリングの指定を見てみましょう。

この曲は、ブルースと同じように、すべてドミナント7thコードで構成されています。ブリッジ部分のサウンドも、**A**セクションとあまり変わらないので、演奏する時は、フォームを見失わないように気をつけましょう。きちんとカウントし、コーラスのアタマを常に意識しておきます。ひとつ参考になるのは、ブリッジの8小節だけが、**I**コード（F7）から始まっていないということです。**B**セクション（またはブリッジ）の部分は、**IV**コード（B♭7）から始まっています。ここが、コーラスの中間点です。

曲のフォーム（コード進行）に基づいてソロをとることが、ジャズ・プレイヤーの鍵となるスキルのひとつです。このようなスタイルのソロは、ロックでは稀(まれ)ですが、ブルースではよく見られ、ほとんどの場合は12小節のフォームです。ジャズの曲の長さは、いろいろ異なります。ジャズの曲を聴く時はいつも、曲のフォームに気をつけましょう。このことは、言うまでもありませんが、ただし軽視されがちです。

ドミナント7thコードは、演奏可能なスケールが最も多く選択できるコードです。このスケールの選択には、長い間のたゆまぬ勉強と経験が必要です。

CDでは、できる限りコードのサウンドに忠実に、そして、ブルース・ラインは、少しクロマティック・ノートを加え、特にアウトしないで演奏しています。*Rick*は、この種のコード進行で、とてもおもしろく、少し聞き慣れない表現で演奏しています。もし彼に会う機会でもあれば、このプレイについて聞いてみるとよいでしょう。

Bouncin' with Rick

Jim Kelly

STUDY IN G MINOR
(TWO DOWN, ONE UP)

JIM KELLY

1.
2.

Study in G minor (Two Down, One Up)

CD Tracks
Solo Guitar　5

これは、クラシック・スタイルのソロ・ギターの練習曲です。この曲は、広いインターヴァルを、ピックで楽に弾けるようになるための練習用にと考えて書きました。楽譜を見ると、ずいぶん音符が広く離れていることが分かるでしょう。曲の大部分は、オープンにヴォイシングしたトライアドに基づいています。クローズ・ヴォイシングでのアルペジオと異なり、真ん中の音を1オクターヴ移し代えています。例えば、Gマイナー・トライアドのコード・トーンは、G、B♭、D音（1st、♭3rd、5th）ですが、オープン・ヴォイシングでは、G、D、B♭（1st、5th、♭3rd）になります。この曲の最初のアルペジオが、このオープン・ヴォイシングです。

同じように、7thコードにも、オープン・ヴォイシングが適用されています。この曲のアルペジオの練習は、すべて3音ですが、7thコードには、音が4つあるので、音を1つ省かなければなりません。例えば、D7の場合、コード・トーンは、D、F♯、A、C音です。1小節めのアルペジオでは、4音のうちF♯音が含まれてなく、3音しか使用していません。ヴァイオリンやチェロのために書かれた曲には、このようなオープン・ヴォイシングがよく利用されています。その理由は、これらの楽器は弦が5度でチューニングされているので、オープン・ヴォイシングの方が、よりナチュラルに演奏できるからだと思います。

ギターで、このような広いインターヴァルを演奏するためには、弦をスキップすることが要求され、これをピックで演奏するのは、とてもたいへんです。私がいろいろと試してみた結果、一番弾きやすかったのは、ダウン・ピッキングを2回とアップ・ピッキングを1回使って弾く方法です。この曲のサブ・タイトルは、この奏法から付けました。私は、曲をとおしてこのピッキングで演奏していますが、他の方法も自由に試して弾いてみるとよいでしょう。ひとつの方法として、すべての音を指でピッキングすることです。これは、ナイロン弦のギターを演奏する場合には、最も合理的な演奏方法です。もうひとつの可能性としては、ダウン・ピッキングをピックで行い、アップ・ピッキングを中指で行う、つまり、ピックと指を組み合わせて弾く方法です。これも、ギターで広いインターヴァルを演奏するよい方法です。このアプローチを使っているプレイヤーで頭に浮かぶのは、*Bill Frisell*や*Eric Johnson*がいます。

3音のグループを、できる限りよく分析してみましょう。そうすると、どのコードを暗示しているのかを理解できるでしょう。クラシック・スタイルの曲を用いて、この方法を使って学んでみることを勧めます。コードがどのように組み立てられているかを、思い描き、理解するための助けとなるでしょう。

すべての音が理解できたら、メトロノームに合わせて、スロー・テンポで練習をしましょう。少しルバートに演奏すると、最良のフィーリングが得られるのではないでしょうか。つまり、それは特定のフレーズのところで少しゆっくりと弾くという奏法です。CDをよく聴いて、ルバートのアイディアをつかんでみましょう。

これは練習曲ですが、できる限り音楽的に、できる限り正確に演奏するように心がけましょう。この曲は、私にとっても、今だに演奏しにくい曲です。ですから、あなたは多少時間がかかっても心配することはありません。音が重ならないように気をつけて、うまく音符をつないでいきます。CDをよく聴いてみれば、私が何を言っているかが分かるでしょう。

Fellini

CD Track
Solo Guitar　6

この曲もまた、ソロ·ギターの練習曲です。Study in G Minorと同じように、アルペジオがたくさん含まれています。ここでは、1オクターヴの範囲内で、コード·トーンが上行したり下行したりしています。キーはDマイナーで、ほとんどの小節は4回ずつ演奏されます。スケールのランはA7(♭9)と関連しており、A7(♭9)のサウンドで機能する複数のスケールの組み合わせで構成されています。

この曲は、技術面の練習です。速いテンポでは、アルペジオのすべての音をピッキングすることは困難になり、たとえできたとしても、それは決して望ましいサウンドではないでしょう。ジャズのサックスやピアノのソロなどを聴いていると、この種の速いラインが演奏されるのをよく耳にしますが、この練習曲ほど厳しくはないと思います。

ここで使用されているピッキングは、スウィープ·ピッキングと呼ばれる方法です。これは、ロック·ギターやメタル·ギターでよく使用され、通常、2オクターヴかそれ以上の音域をカバーしています。低い弦から高い弦に向かう時にはダウン·ピッキングを使用し、高い弦から低い弦に向かう時にはアップ·ピッキングを使用します。一般的に、1本の弦で2つの音を弾かなければならない場合は、最初の音をピッキングし、次の音はラインの方向によって、ハマリング·オンかプリング·オフで演奏します。

この練習のほとんどの部分では、各小節の1音めと2音めの間はプリング·オフで弾いて、5音めと6音めの間はハマリング·オンで弾いています。これが、曲をとおして、一貫したレガートなフィーリングを保っています。

各アルペジオは、実際には独立した練習になっているので、各セクションを別々に練習することもできます。私は、メタル以前の時代のロックやブルースを弾いてきたので、この種のピッキング·スタイルの経験はあまりありません。そこで、私にとってはこの練習曲を通しで全部演奏することは、非常に難しいです。私個人の考えでは、ゴールは、これらのサウンドを一気に素早く使えるようになることです。この練習曲で苦労しておけば、これらのサウンドを指先でコントロールできるための大きな助けになるはずです。

この曲のタイトルは、イタリアの映画監督、フェデリコ·フェリーニに捧げたものです。私は彼の映画の大ファンで、映画の中の音楽も大好きです。彼の映画の多くは、時代を超えた偉大な映画音楽の作曲家、ニーノ·ロータが音楽を担当しています。この曲の4小節めから5小節めにかけてのコード進行は、ニーノ·ロータがストリングス·セクションのために書くような、サムシングを思い起こさせます。

Fellini

Jim Kelly

Classical Style (𝅗𝅥 = 138)

Meterman

CD Track
Band 7
Play-along 19 (no guitar)

Metermanは、*Meters*というニューオリンズのファンク/R&Bグループのスタイルで書かれています。このグループは1970年代に活動を開始し、多くのバンドに影響を与え続けており、さまざまなバンドがこの独特のグルーヴを取り入れています。このグルーヴのルーツは、ニューオリンズの行進曲にあり、*Professor Longhair*、*Dr. John*、*James Booker*などに見ることができます。*John Scofield*やサックス奏者の*Bennie Wallace*のようなジャズ・プレイヤーなどの曲創りにも、このグルーヴ影響が見られます。

*Meters*の音楽は、ほとんどがインストゥルメンタルで、ソロよりもグルーヴに重点が置かれています。この曲のメロディーは、ペンタトニックのラインといくつかのトライアドのリズミックなフレーズが組み合わされています。メロディーの後のソロは、すべてC7コード上で演奏しています。

CDでは、できる限りブルース・サウンドに近づけて演奏しています。ライヴなどでは、もう少しアウトに押し進み、Cのベース・ペダルでかなり自由に演奏することもあります。このワン・コードのソロ・セクションで重要なことは、フレーズを演奏することです。*Bob Tamagni*は、このグルーヴでプレイする素晴らしいドラマーで、ソロ全体をとおして、4小節のフレーズで演奏しています。

イントロは、C7コードの3rdを省いた3音で演奏しています。私は、ルートを持続したまま、♭7thと5thにスライドしていくサウンドが大好きです。多くのヴォイシングが、オルガンのようなサウンドになっています。実際に、*Meters*にもオルガンが入っているので、もしオルガンを弾く友だちがいるなら、加わってもらうとよいでしょう。

この曲で、コード・ヴォイシングを演奏している部分では、コードとコードの間も、コンスタントなリズムをキープするために、休符の部分も、左手でミュートしてコードを演奏しています。基本的に、イントロと同じアプローチを行っています。

この曲には、スタートするには十分なフォームがあるので、ジャム・セッションで学ぶにはとても適しています。たとえシンプルに見えたとしても、できるだけソロ・セクションを発展するように心がけましょう。

Meterman

Jim Kelly

FORM: Intro (16 bars) head, interlude, head. Solos on C7. After solos interlude, head, head (omit interlude).

Mutt & Jeff

CD Tracks

Band 8
Play-along 20 (no guitar on soslos)

イントロ：8小節
最初のメロディー：2コーラス
サックス・ソロ：3コーラス
ギター・ソロ：4コーラス
ヴァンプ：4小節
最後のメロディー：2コーラス
タグ：終了まで8小節

このジャズ・ロック・フュージョン・スタイルの曲は、バークリーのMIDIグループによる、スペインでの一連のコンサートのために書きました。このグループは、エレクトリック・ドラム、シンセサイザー、ウッドウィンド・コントローラー、ギター・シンセサイザーによるベース、アルト・サックス、エレクトリック・ギターという編成でした。

イントロは、もともと、シーケンサーで演奏するように書きましたが、後にシーケンサーを使わないことが分かり、このイントロはギターで演奏するように変更しました。イントロの演奏は難しいけれど、ピッキングのよい練習になります。第5ポジションで、オルタネート・ピッキングを使うのが一番よいでしょう。音符は、スタッカートで、非常に短く演奏します。シンコペーションの音によって、4/4拍子ではないように聴こえるかもしれませんが、間違いなく4/4拍子です。

この曲のメロディーとグルーヴはとてもあわただしく、汗をかいてしまうことを保証します。実際の音符を演奏することよりも、メロディーの輪郭に重点を置いて演奏することの方が重要です。つまり、フィールやリズムを大事にするということで、少しぐらい音をはずれても、パニックに陥らないことです。このテンポでは、ほとんどの音がラインとして聴こえてくるため、個々の音はあまり気にしなくてもかまいません。

ソロのフォームは、G7が8小節、E7が4小節、C7が8小節の構成で、長さが20小節になり、あまり一般的な長さではありませんが、何回か聴けば、すぐに理解できるでしょう。

メロディーには、スライドやハンマリング・オンやプリング・オフをたくさん使っています。楽譜には、これらのアーティキュレーション（奏法）も表示してありますが、あなたにとってよりよいアーティキュレーションを考えてもかまいません。とても難しいセクションがあるかもしれませんが、この苦労も、サウンドの一部なので、心配することはありません。

ソロが終わると、バンドが抜けて、ギターが4小節のイントロを演奏します。そして、最初と同じように、メロディーを2回演奏します。最後に、C7のセクションのタグをくり返し、6小節めのコードで終わります。CDを聴けば、すべて分かるでしょう。

このCDには、スタジオ・ライヴの最初のテイクを収めました。レコーディングの後で、ギターを完全に取り除いてしまうと、少し奇妙になり過ぎることが分かったので、メロディーのレベルを少し下げ、サックス・ソロのバックのギター・コンピング（伴奏）と、ギター・ソロだけを取り除きました。CDに合わせてメロディーを練習して、友だちと一緒に盛り上がりましょう。

Mutt & Jeff

Jim Kelly

FORM: Intro (8 bars) head (2 times), solos on form. After solos intro (4 bars), head (2 times), tag last 8 bars until FINE.

Used Blues

CD Tracks
Band 10
Play-along 11 (no guitar)

この曲は、私がジャズ·オルガン·グルーヴと呼んでいる、12小節のCブルースです。スウィング·フィールをもつこの曲では、メロディーに、オルガン·プレイヤーが使うものと同じようなコード·ヴォイシングを使用しています。C7コード上では、AmとGmのトライアドが使用されていますが、どちらのコードにも、メロディーにルートが含まれています。このトライアドは、両方ともブルース·コードのハーモニーにおいては典型的なものです。どちらのコードにも、C9とC13のコード·トーンとテンション·ノートが含まれています。このようなサウンドを見つけるひとつの方法は、7thコードの5thと6thの上に組み立てられるマイナー·トライアドが使用できるということを覚えておくことです。C7の5thと6thの音はGとAですから、GmとAmが使えます。このアイディアは、移調して、5小節めのF9コード上でも使用されています。今度のコードは、F7の5thと6thなので、DmとCmになります。9小節めでは、D9コード上で使われています。トライアド名を考えてみましょう。

8小節めの3拍めでは、A7のサウンドに対しB♭mトライアドが使用されています。このトライアドは、どちらかといえば、ジャズ·スクールのサウンドですが、A7の♭9th、♭13th、3rdにあたります。7thコードの半音上のコードです。10小節めの1拍めでは、このサウンドが移調されています。G7に対し、A♭mトライアドが使用されています。この小節の2拍めでは、G7コード上で、このコードのの♯9th、♭7th、♭5thにあたるB♭mトライアドが使用されています。これらの音は、よくオルタード·テンションと呼ばれることもあります。

上のような説明で頭痛が起きるとすれば、それは私と同じです。他の多くのことと同じように、セオリーというのは、理解するには時間がかかるものです。しかし、このようなサウンドを他の場所でも使えるようになるためには、とても助けになります。大事なことは、まず、どのようなサウンドなのかを覚えることです。そうすることによって、その他のことは自然についてきます。

上でまだ説明していないコード·ヴォイシングは、最後の小節だけです。このG7(♭13)のコード・ヴォイシングは、G7(♯5)、G7+、Gaug7などと表示されることがあります。いずれも、よくジャズで使われる同じコード·ヴォイシングを意味しています。

CDに収められているヴァージョンでは、メロディーを2回演奏しているだけで、ソロはありません。CDをよく聴いてフィールをつかみ、それからバンドで演奏してみましょう。もし、ホーン·プレイヤーが、メロディーを演奏するのであれば、コードの一番下の音を演奏してもらいましょう。つまり、1小節めを例にとれば、メロディー·ラインは、C、B♭、G、A、C音になります。それでは、ブルースを演奏してみましょう。

Used Blues

Jim Kelly

Song for an Imaginary Vocal
(Acoustic Style)

CD Tracks	
Guitar/Bass Duo	12
Play-along	13 (no guitar)

これは、とてもアクティブなスタイルで書かれた、伴奏パートです。ほとんどが8分音符で構成されているので、それを演奏するのはなかなか難しいかと思います。この曲は、タイトルが示すように、ヴォーカル曲のバッキング·パートのようなサウンドになっています。この時点では、メロディーだけでなくヴォーカル·パートもありません。

この練習でもっとも難しい部分のひとつは、ピッキングです。オルタネート·ピッキング以外にも、いろいろな組み合わせが考えられ、しばしばその方がよい選択になるかもしれません。私は、まず曲を書いて、それから演奏にとりかかりますので、ピッキングも徐々に発展させていきます。p.63～65にいくつかのピッキング方法を示しておきましたが、他の組み合わせをいろいろ試してみて、あなたにとって何がベストなのかを見つけることを、強く勧めます。

この曲は、ブレイクなしに2回くり返えしているので、持久力の練習にも最適です。規則正しいテンポをキープすることは、最初は難しいと思いますが、十分に練習して、しっかりとしたテンポをキープできるようになれば、アルペジオがたくさんある曲を演奏する時にも、タイム·フィールが上達していることを感じられるでしょう。ヴォーカルのバックでこのようなスタイルで演奏するのは、特にドラムスが入っていない場合には、とても難しいです。多くの人の前で、ギターとヴォーカルだけで演奏することはとてもやりがいがあります。この練習に一生懸命取り組むことで、どのような状況でも演奏できるようになるでしょう。

ラインの輪郭を聴き取るようにしましょう。そうすれば、ダイナミックスが、重要なポイントであることにも気がつくでしょう。最初は、なかなか均一的に弾けないかもしれませんが、ピッキングした音をイン·テンポでプリング·オフできるように練習しましょう。

あなたが学ぶ場合に一番よい方法は、曲全体を演奏することです。そうすれば、すべてがだんだんクリアになってきます。また、この曲は結構長い曲なので、ページングを考えてソロを組み立てる練習をしてみるとよいでしょう。

Song for an Imaginary Vocal

(Acoustic Style)

Jim Kelly

(𝅗𝅥 = 72)

INTRO

D-(ADD9)

A

D-

F

D-(ADD9)

D-

F

D-(ADD9)

C

D-

G7/B

Csus4(ADD9)

D-

C

D-

G7/B
Csus4(add9)
D-(add9)
B
D-(add9)
B♭add#11/D
C/D
1., 2., 3.
D-(add9)
4. D-(add9)
C
D
C(add9)#4
Cadd9
D
Play four times
G/B
Cadd9
Fadd9
C/E
G/B
Cadd9
D-(add9)
Repeat to A
D-(add9)
Fine

Latin-Style Blues

CD Tracks
Solo Guitar　14 (pick)
Solo Guitar　15 (fingers)

この曲のリズム·パートには、3種類のコード·フォームしか登場しません。最初の2小節さえできれば、後は正しいルートに移動するだけです。最初のヴォイシング(F13)の次に出てくる4音コードは、4つの音がパーフェクト4th(完全4度)のインターヴァルで積み重ねられた4thヴォイシングです。このようなヴォイシングの場合、いろいろな名前が考えられますが、どの音をルートと考えるかによって決まります。2番めのコードは、Fがルートなので F7sus4になります。しかし、もしベーシストが一番下でC音を演奏する場合は、このコードをCm11と呼んでも正しいことになります。3番めと最後のヴォイシングは、F13の転回形になっています。この独特なヴォイシングでは、メロディーがルートになっているので、よくオン·トップと呼ばれます。

ルートがベースの位置にないコード·ヴォイシングは、ジャズ·ピアノだけでなくギターでも、とてもよく使われます。最初は、これらのコードを聴き取り、使うことは、とても難しいかもしれません。この曲のコード進行は、これらのコードが曲の中でどのように使用しているか、またどのように機能しているかを聴くための助けになります。フィンガースタイルのヴァリエーションも、ピッキングだけが異なるだけで、コードはまったく同じです。

あなた自身でコードを演奏したテープを作り、そのテープに合わせてソロの練習をすることをお勧めします。F7コード上ではFミクソリディアン·スケールを、B♭7コード上ではBミクソリディアン·スケールを、C7コード上ではCミクソリディアン·スケールを使う練習をしましょう。ミクソリディアン·スケールのスケール·ディグリーは、1、2、3、4、5、6、♭7という構成になっており、この種のラテン·ブルース·スタイルの曲にはよく使われます。

Latin-Style Blues

Jim Kelly

Tablature and Fingerings

タブ譜とフィンガリング

このチャプターには、いくつかの異なるスタイルのギター譜が収められています。タブ譜は、これが必要な人のためのガイドとして収めてありますが、タブ譜は、ギターで楽譜の読み方を学ぶための別の方法ということではありません。私の考えでは、ギターという楽器は、初見で演奏するのにもっとも難しい楽器だと思います。その大きな理由に、1つの音が複数のポジションにあることと、フィンガリングをすべて選択しなければいけないことにあります。音楽のスタイルやテンポによって決定される選択肢が数多くあり、うまく機能するものを見つける手段は、多くの場合、プレイヤーの判断に委ねられます。音符の周りに、弦の番号を示す、丸で囲まれた数字がたくさん記入されています。①は、第1弦を表しています（高いE弦）。フィンガリングは、丸の付いていない数字で表され、ローマ数字は、フィンガーボード上のポジションを表しています。ちょっと見ただけでは、たくさんの情報が記入されているように見えるでしょう。

私がマン·ツー·マンで指導するなら、ほとんど何も指示を書き込んでいない楽譜を学生に渡し、さまざまな可能性について話し合う方法を選びます。このチャプターの楽譜は、私がまだ研究中なので、基本的には、どのようなフィンガリングと、ポジションで演奏しているか、という意味でとらえてほしいのです。つまり、これらはあくまでもガイドラインに過ぎないということです。あなたが弾きやすいように変えても、一向にかまいません。ただし、正しく機能することだけは確かめておきましょう。多くの場合、同じように機能するか、もっとうまく機能する方法が、他にもあるかもしれません。しかし、その選択は、確かなものでなくてはなりません。この種の研究は、演奏や読譜を助け、また上達に重要な役割を果たします。

CDやバンドで演奏する時には、本書の前半に掲載してあるリード·シートを使用することを勧めます。この方が、見た目もずっとすっきりしているし、実際に現場で演奏する時に手にする譜面にもっと近いものです。

A Little Wes

Medium Up Swing (♩ = 132)
Jim Kelly
Intro Vamp
G-7 A-7
SIMILE
A
G-7 A-7 G-7 A-7 G-7 A-7
G-7 G7(b13) C-7 F9 Bb-7 Eb9
A-7 D7(b9) G-7 A-7

G-7
A-7
G-7
A-7
G-7
Eb9

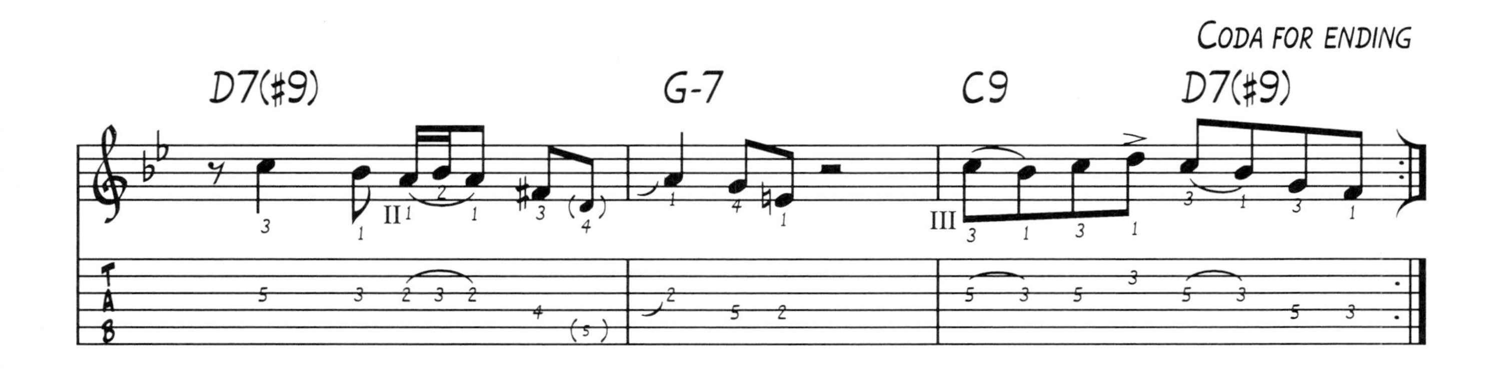
CODA FOR ENDING
D7(#9)
G-7
C9
D7(#9)

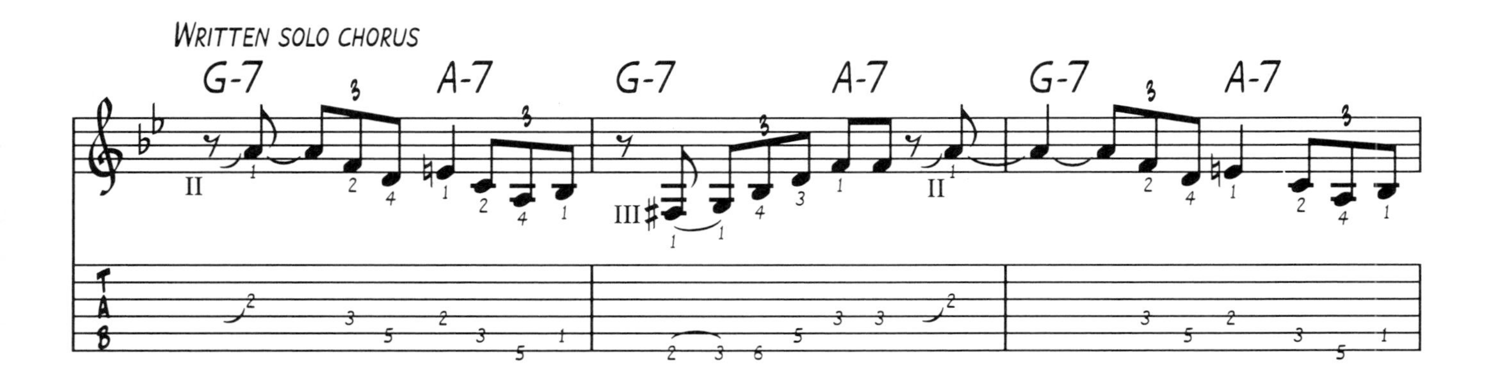
WRITTEN SOLO CHORUS
G-7
A-7
G-7
A-7
G-7
A-7

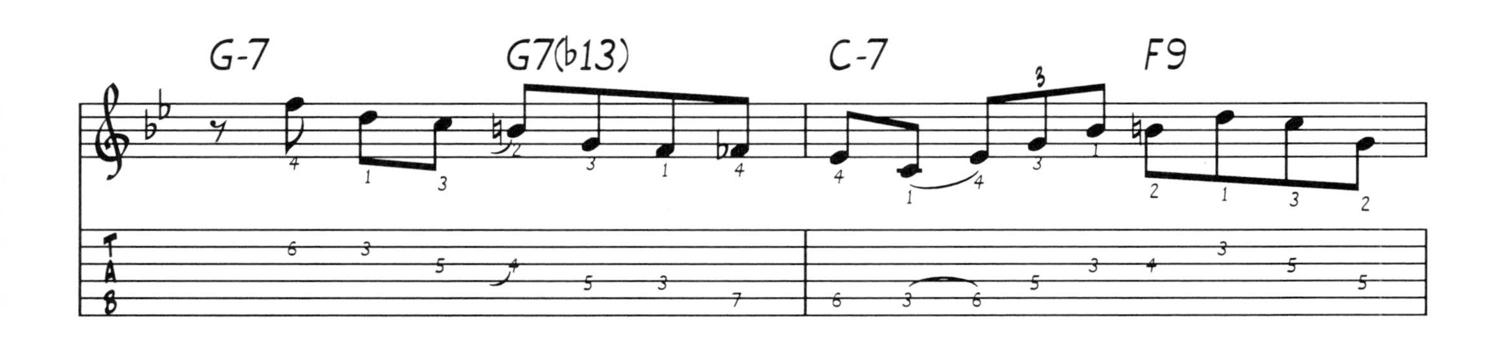
G-7
G7(b13)
C-7
F9

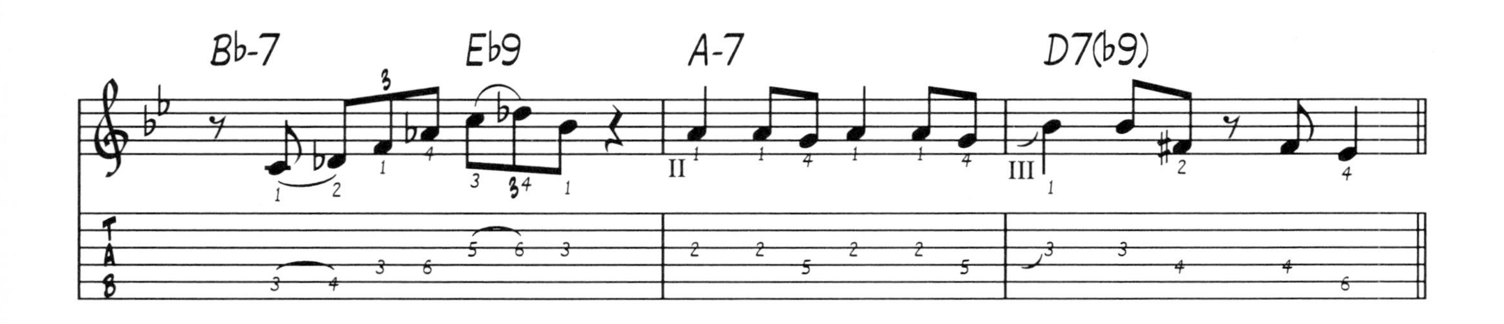
Bb-7
Eb9
A-7
D7(b9)

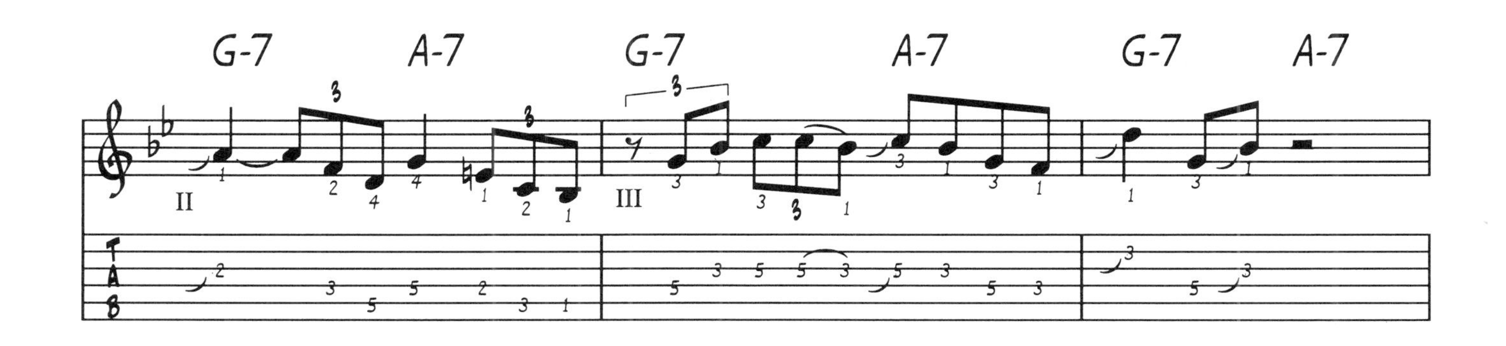
G-7 A-7 G-7 A-7 G-7 A-7
II
III
TAB

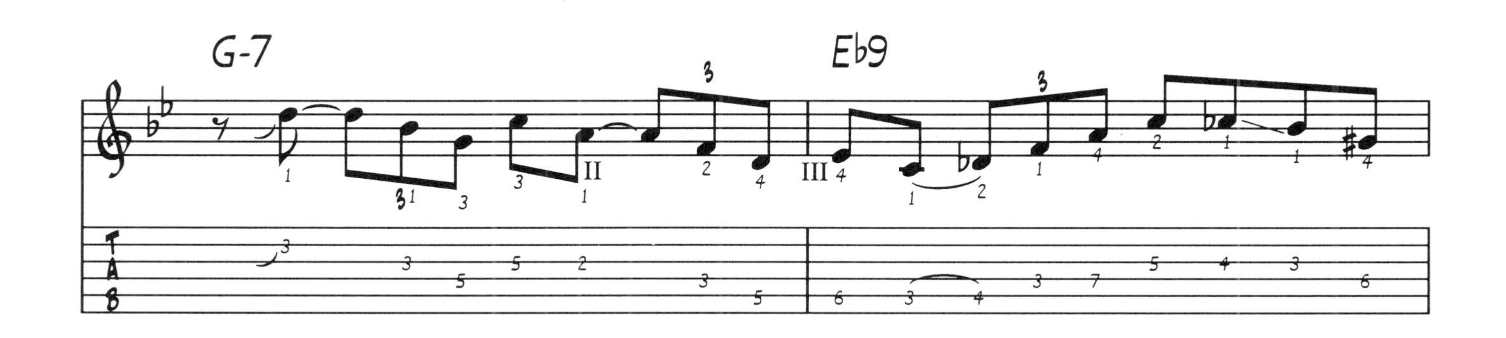
G-7 Eb9
II
III
TAB

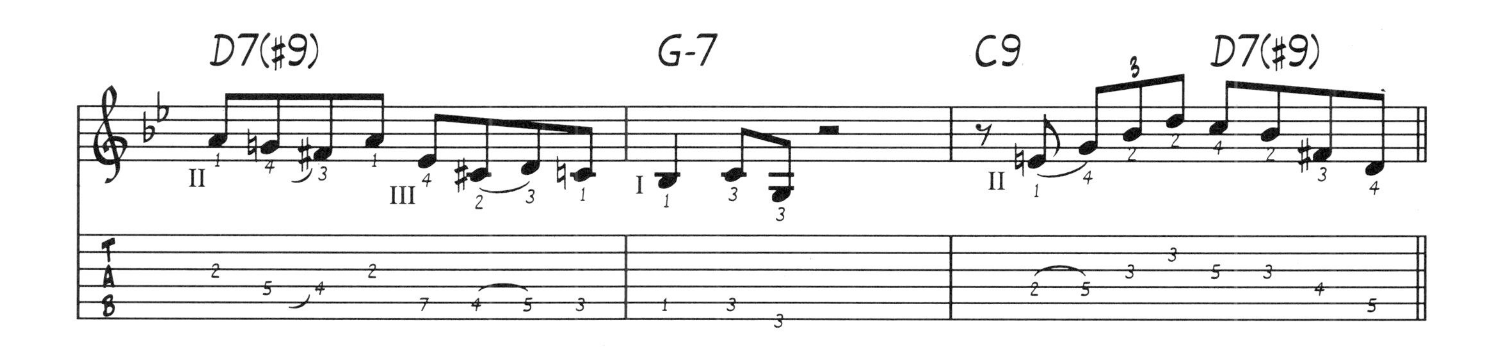
D7(#9) G-7 C9 D7(#9)
II III I II
TAB

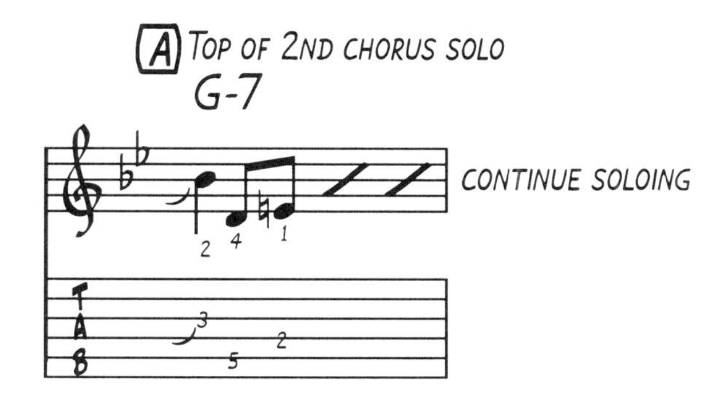
A Top of 2nd chorus solo
G-7
Continue soloing
TAB

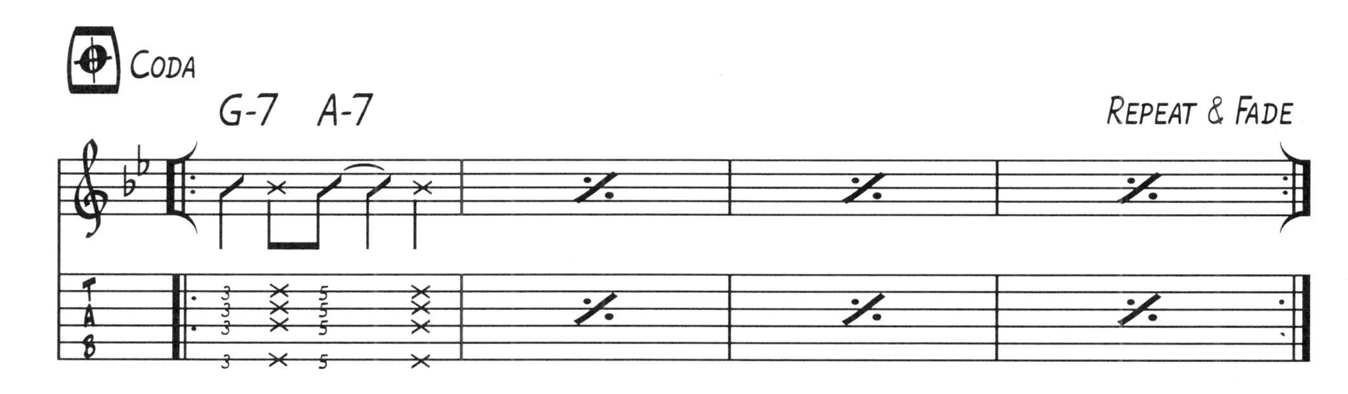
Coda
G-7 A-7
Repeat & Fade
TAB

Still Pretendin'

Jim Kelly

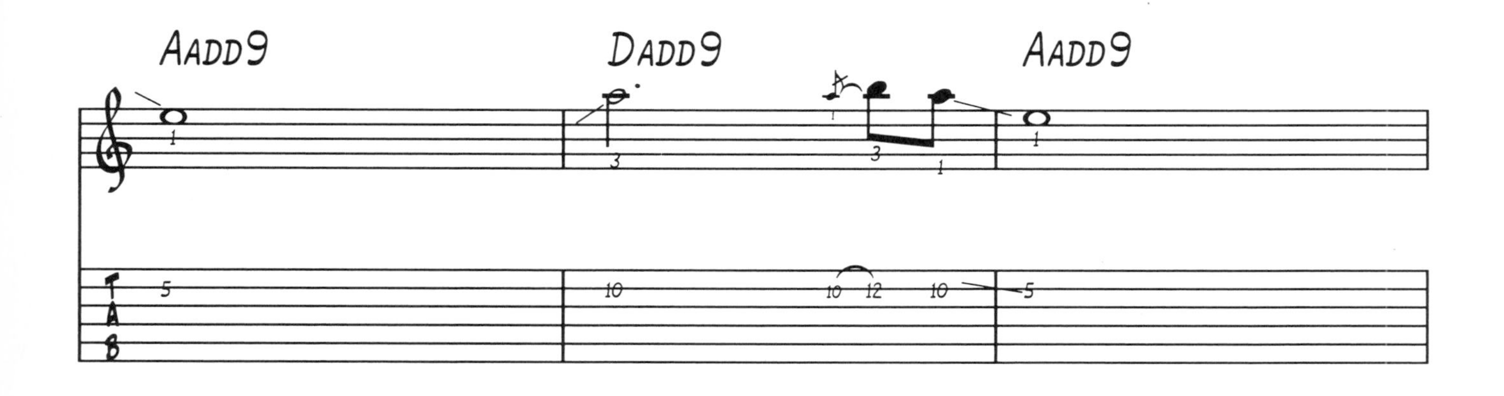

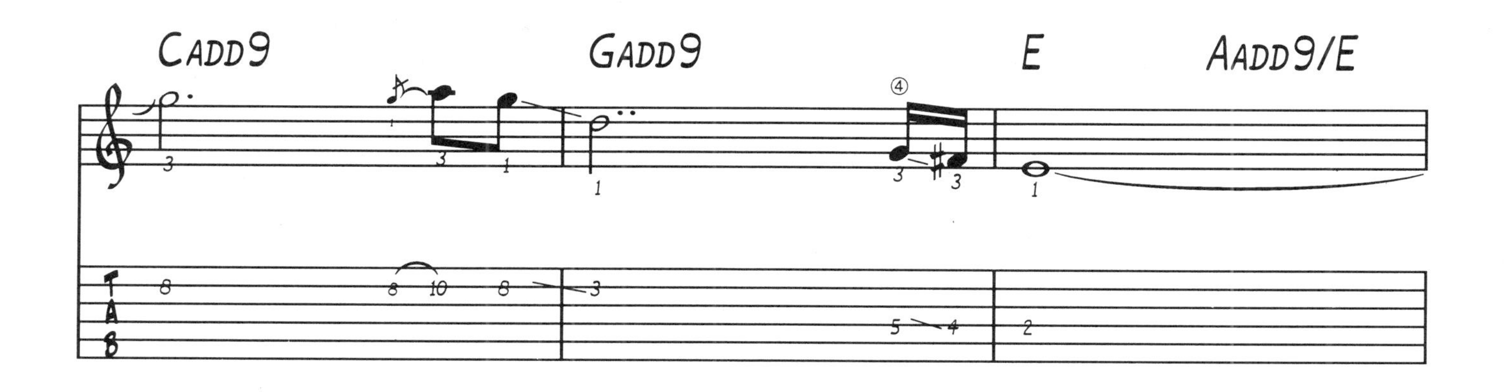
Cadd9
Gadd9
E
Aadd9/E

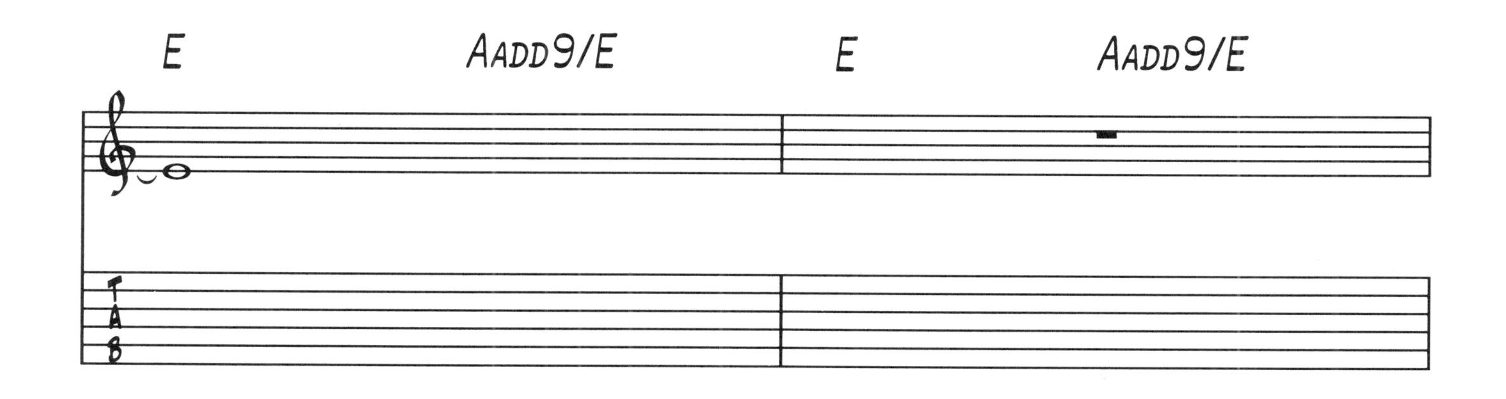
E
Aadd9/E
E
Aadd9/E

E
Aadd9/E
E
Aadd9/E
E
Aadd9/E

Repeat to A for solos
Ending
Dadd9
E
Aadd9/E
E
Aadd9/E

BOUNCIN' WITH RICK

JIM KELLY

MEDIUM UP SWING (𝅗𝅥 = 126)

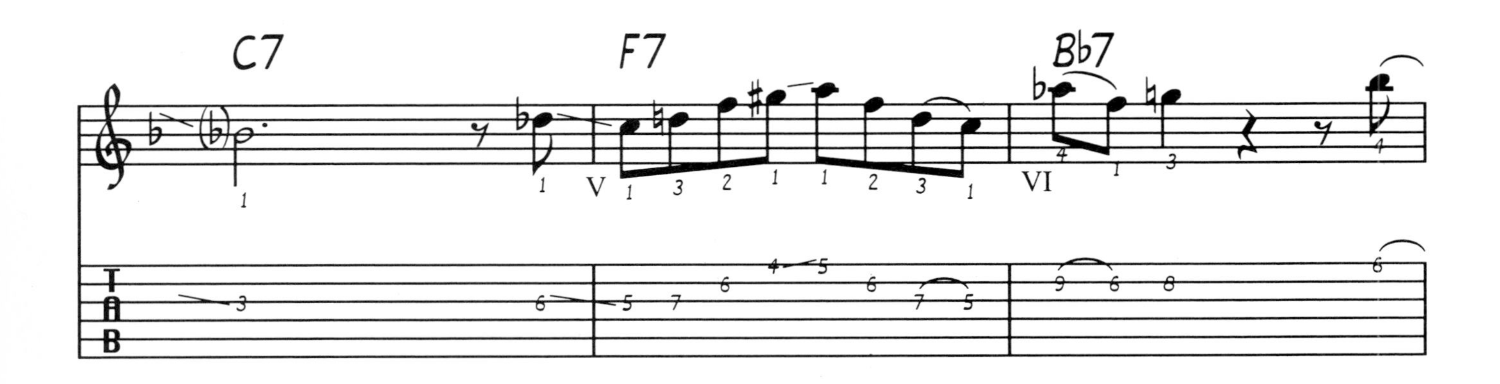

* FOUR-BAR BASS AND DRUM INTRO ON CD ONLY.

Bb7
F7

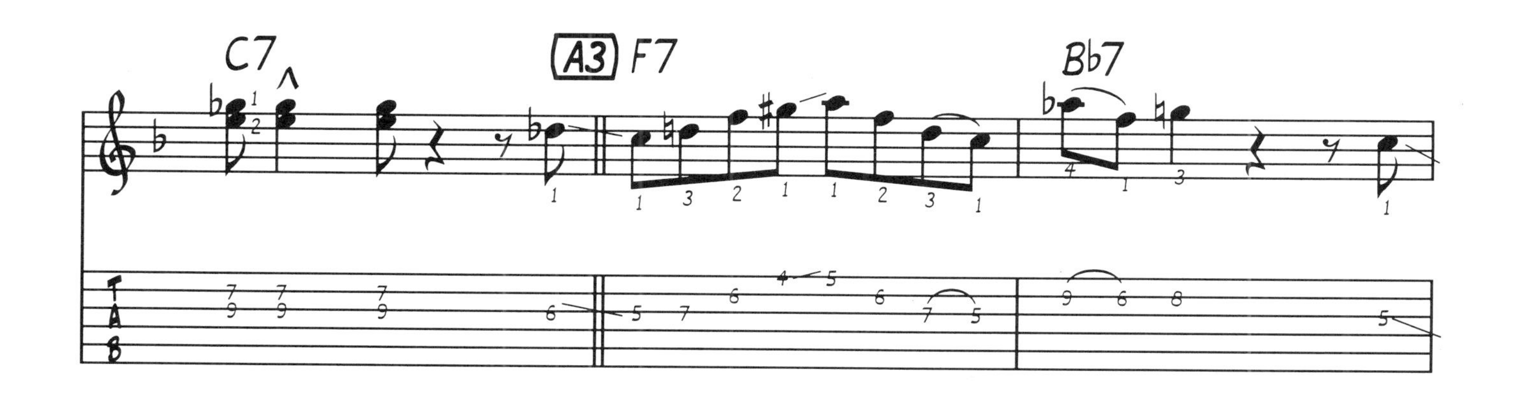
C7
A3
F7
Bb7

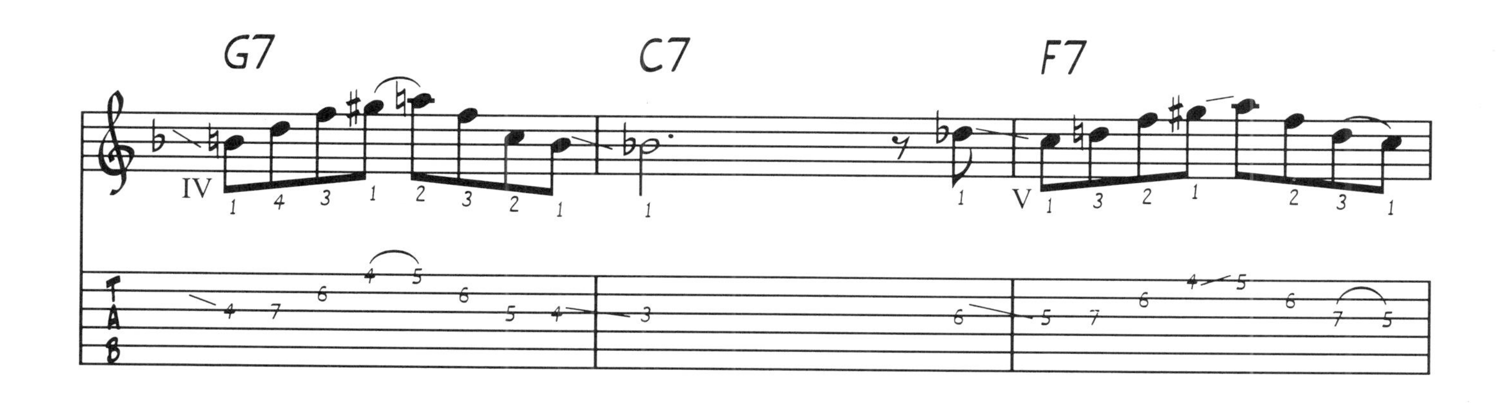
G7
C7
F7

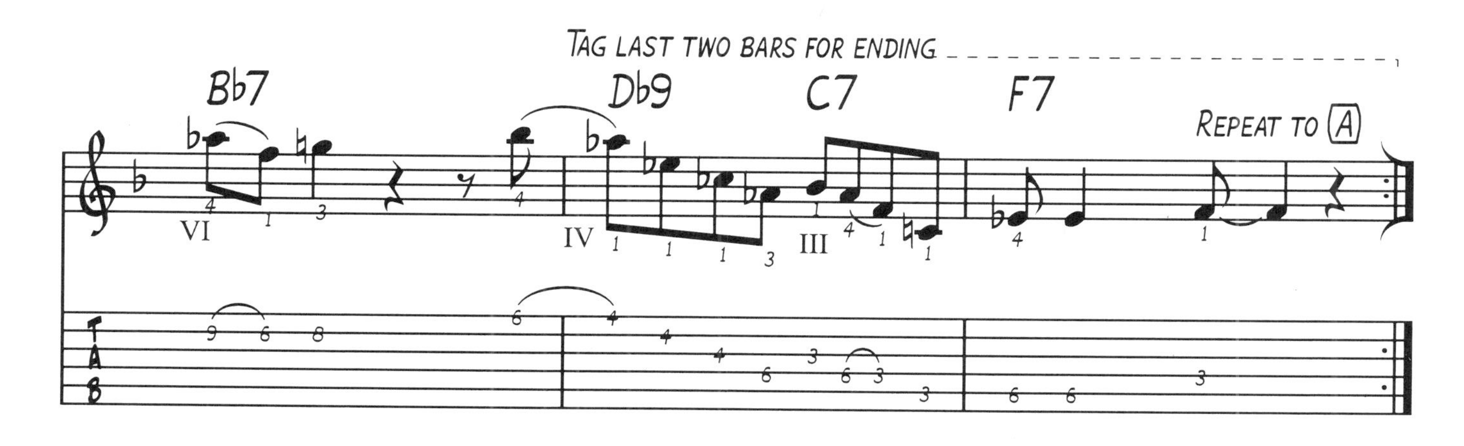
TAG LAST TWO BARS FOR ENDING
Bb7
Db9
C7
F7
REPEAT TO A

Study in G Minor
(Two Down, One Up)

Jim Kelly

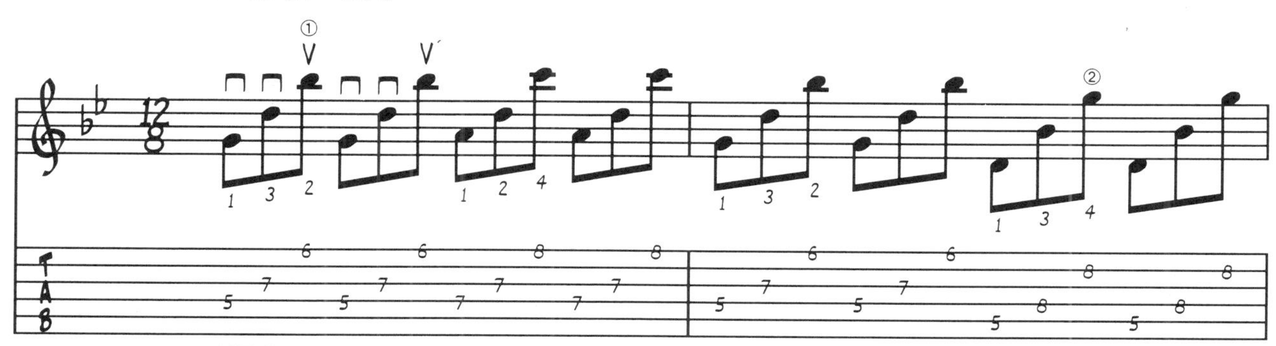

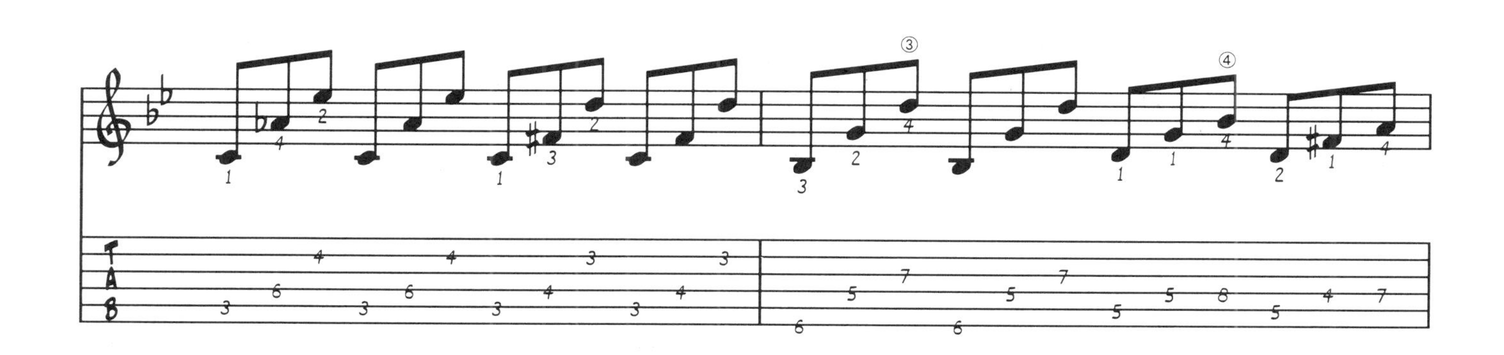

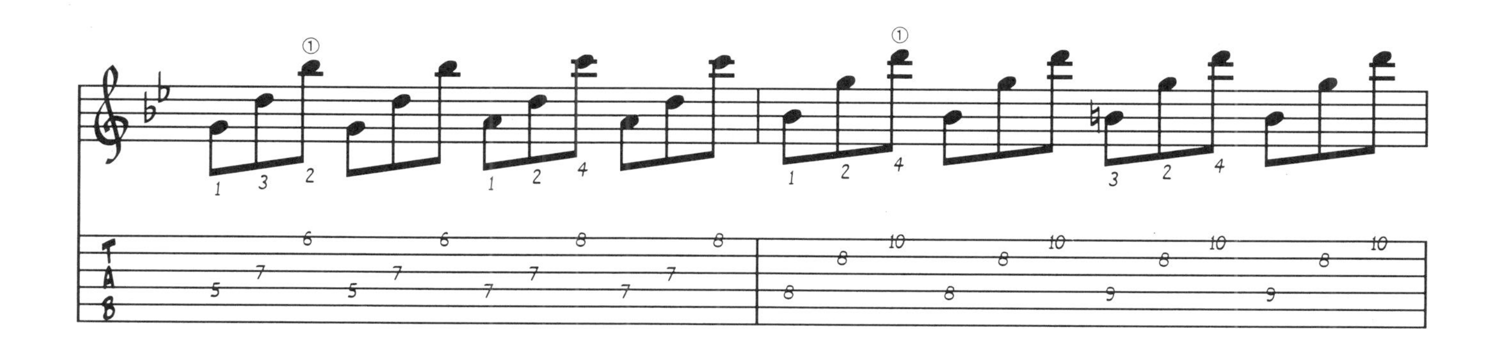

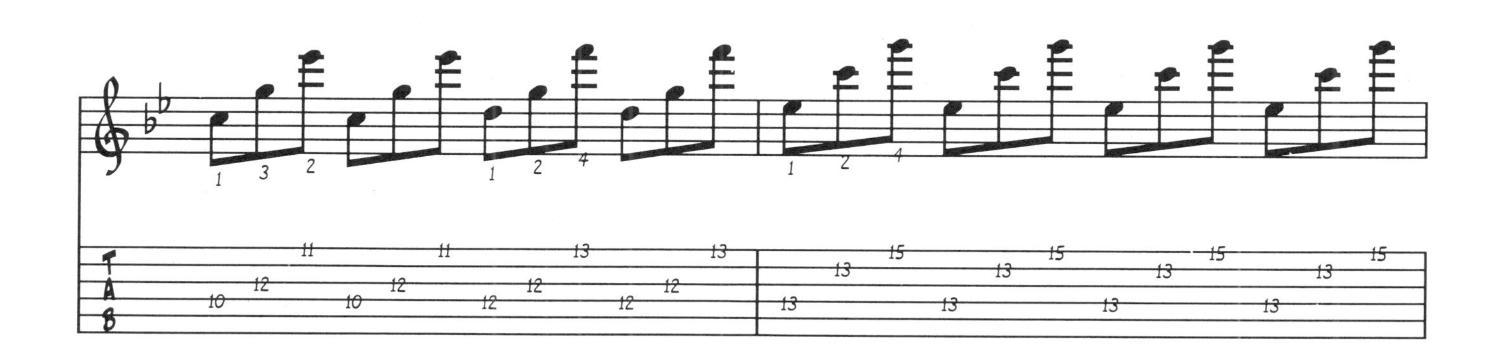

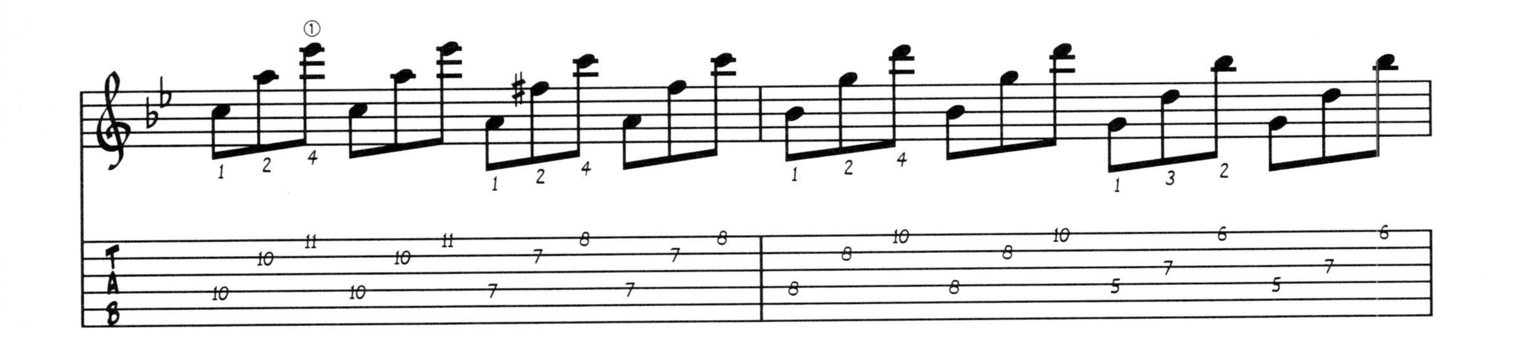

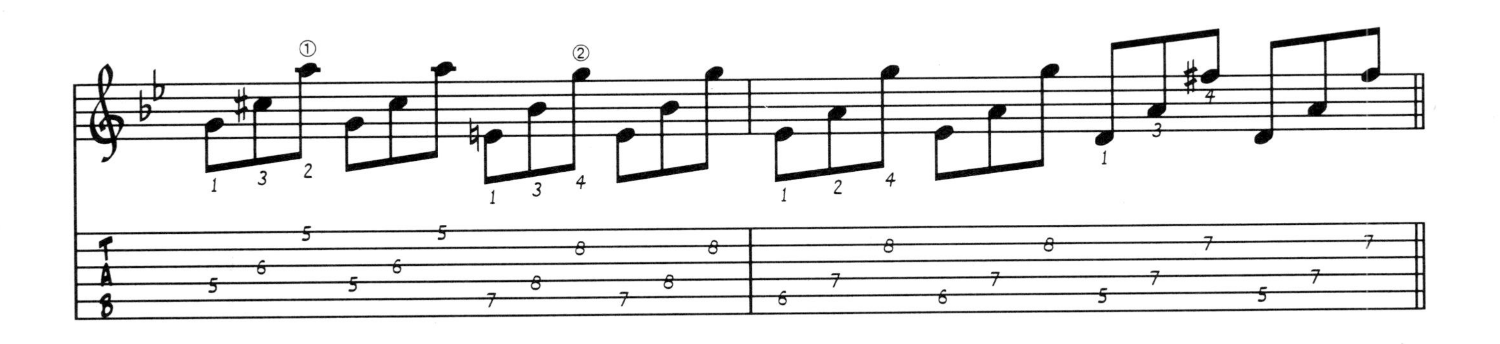

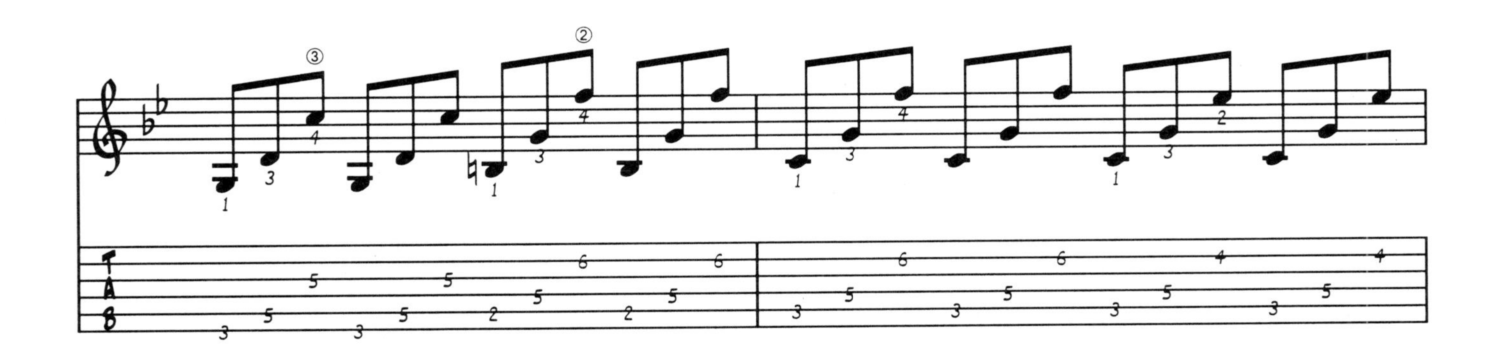

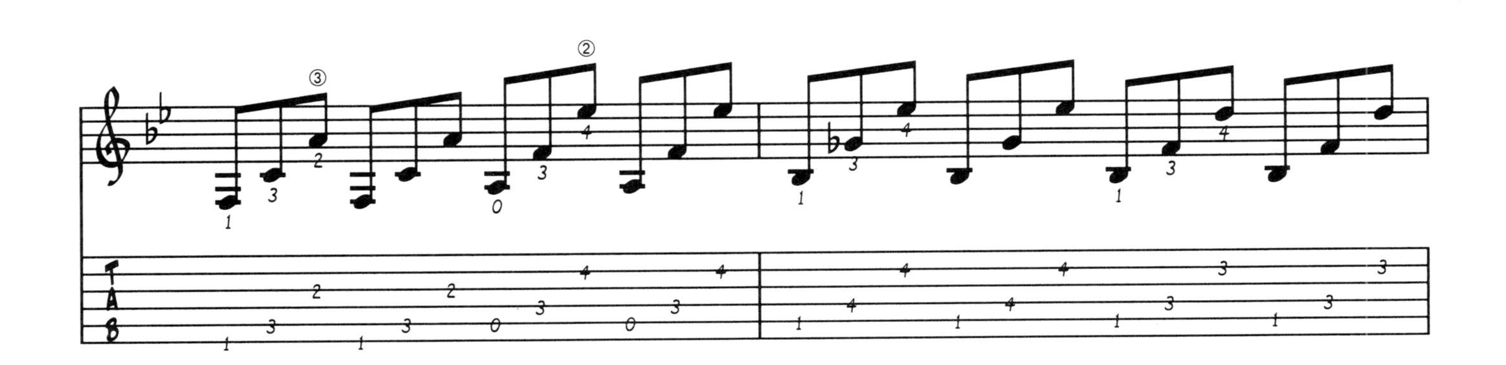

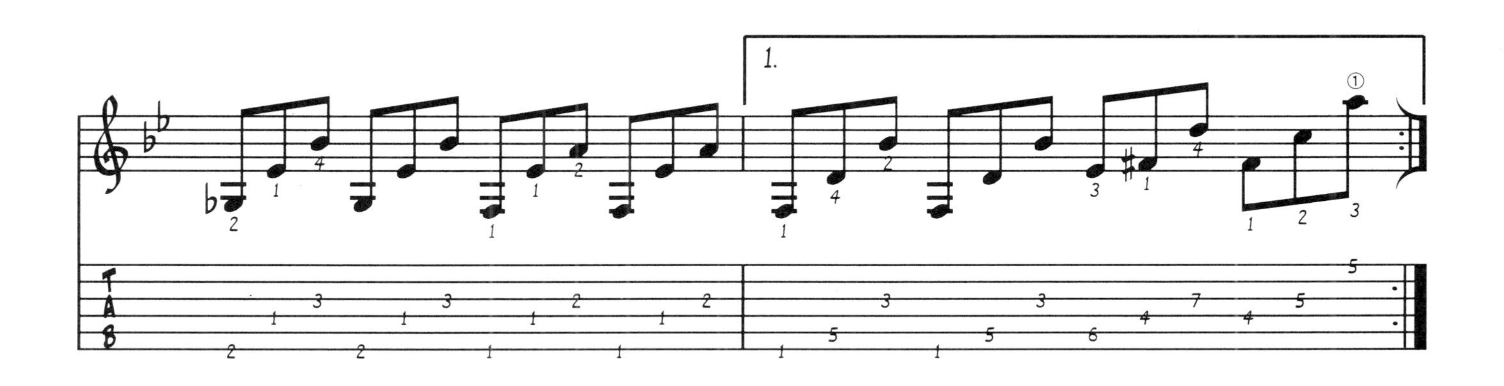

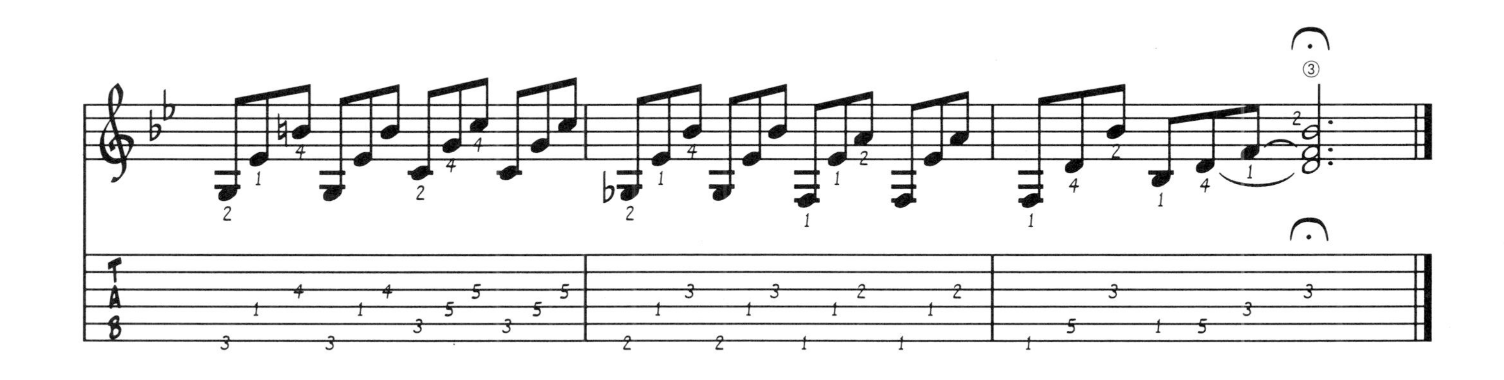

Fellini

Jim Kelly

Classical Style (𝅗𝅥 = 138)

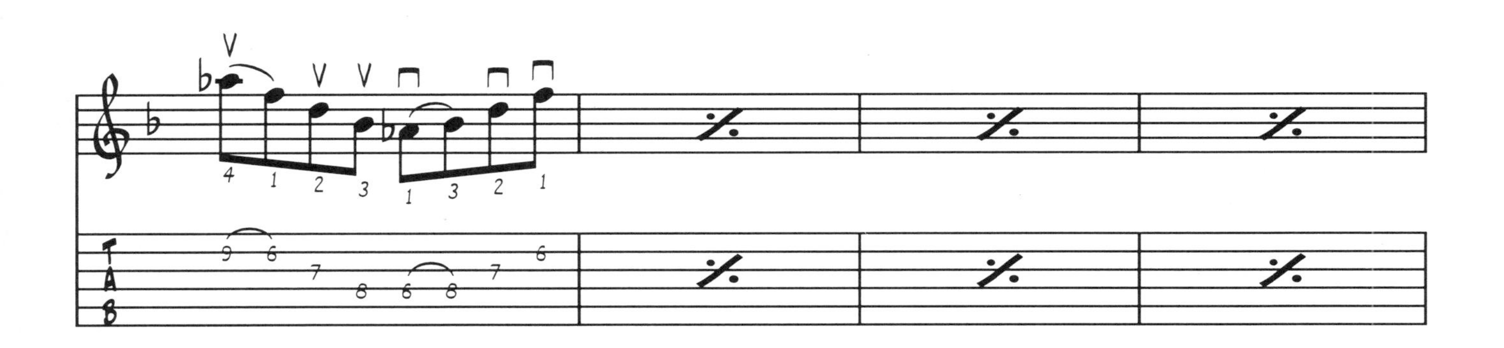

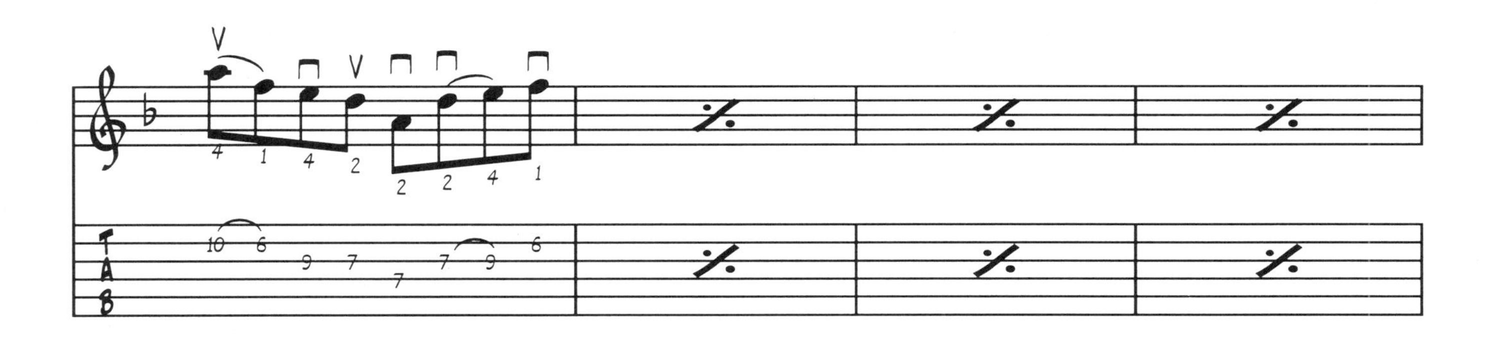

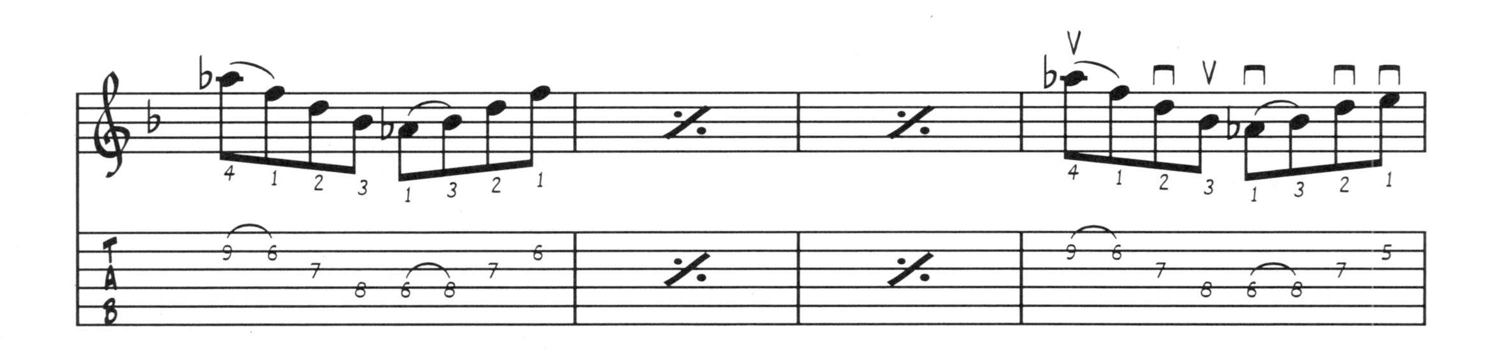

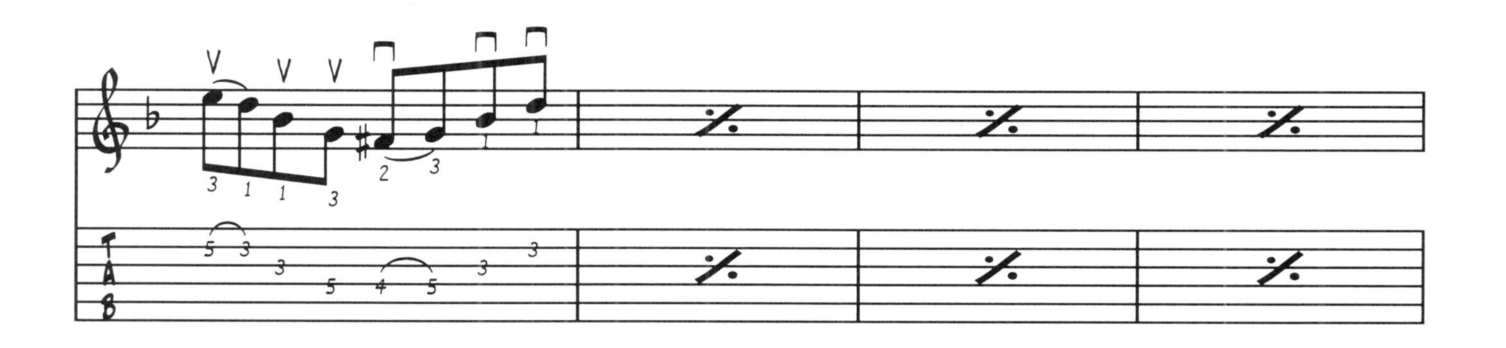

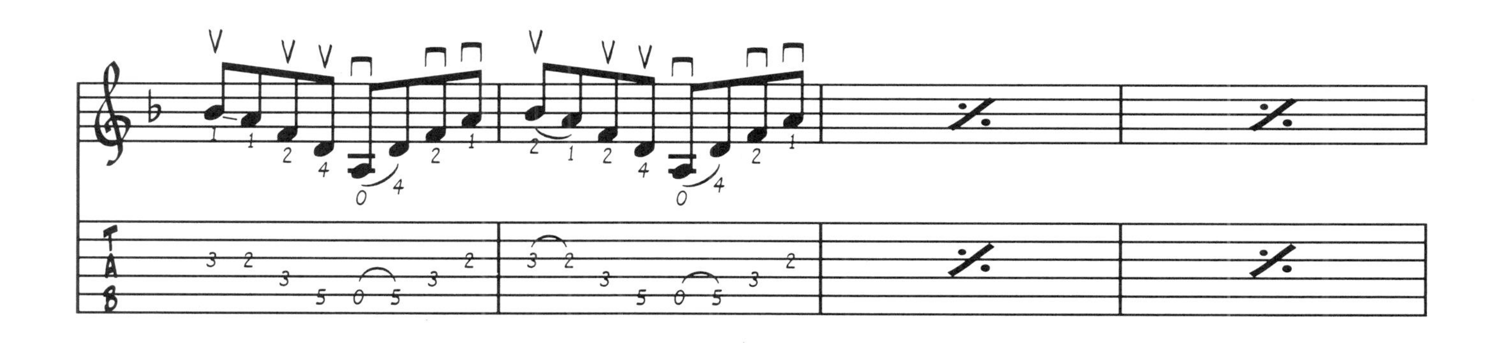

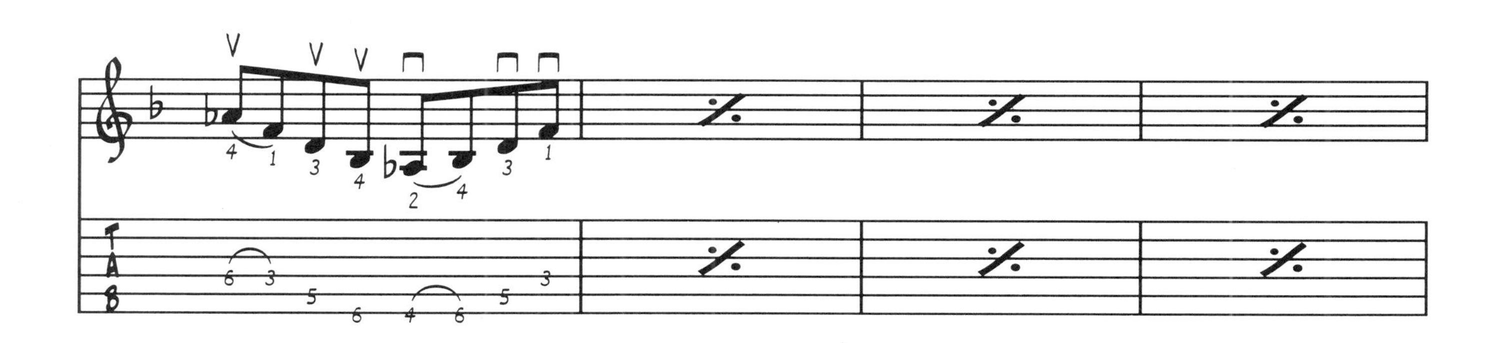

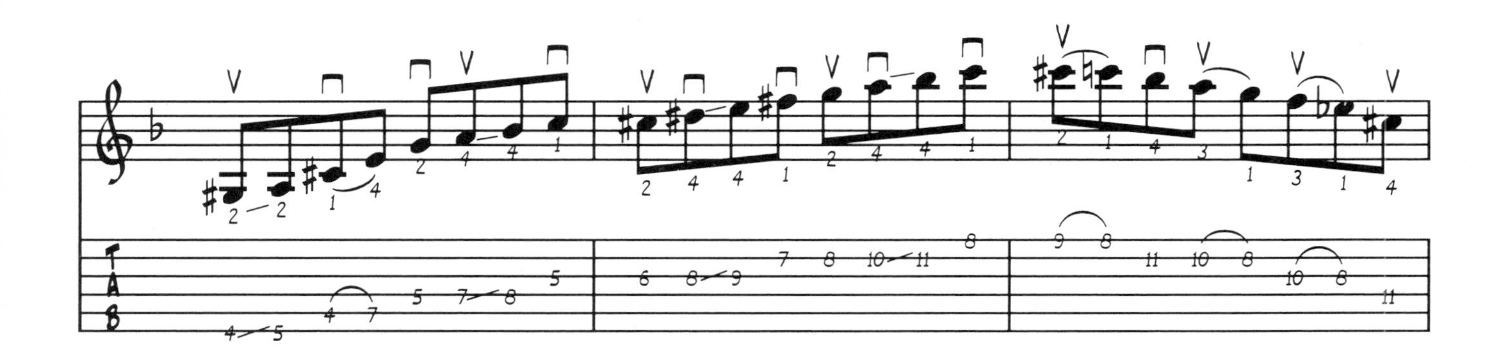

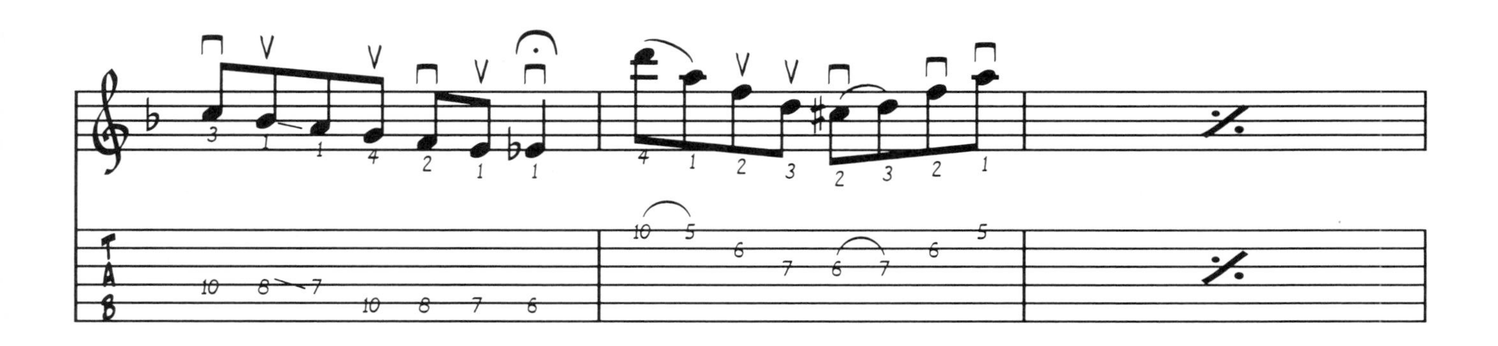

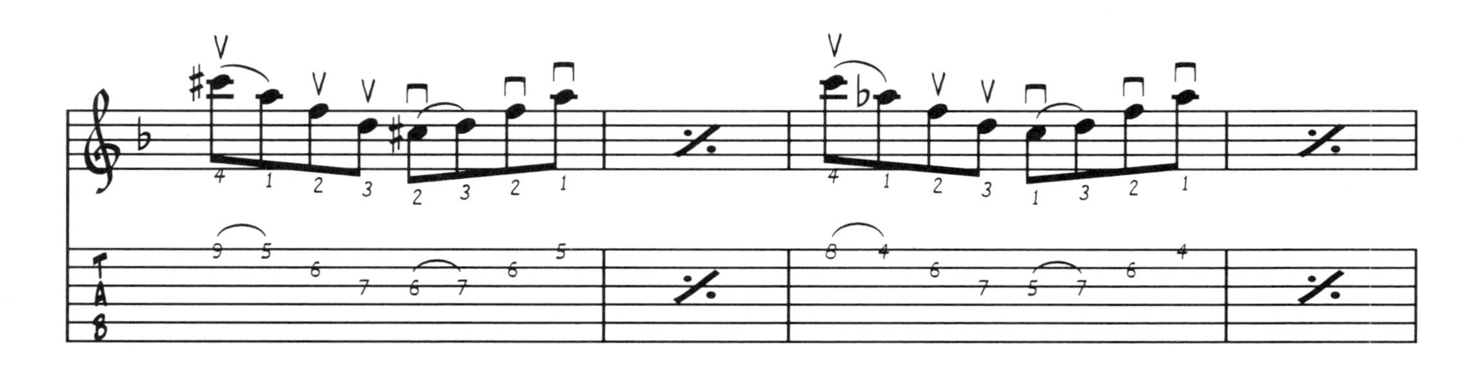

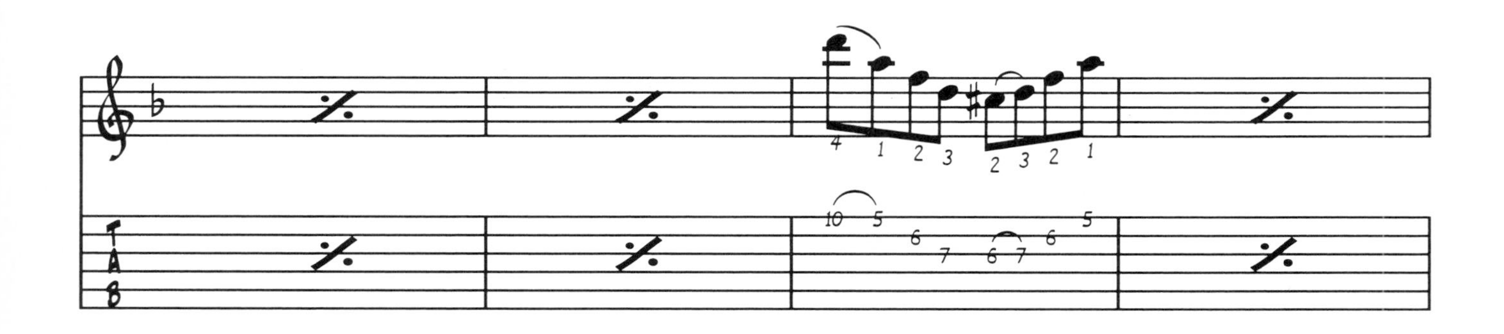

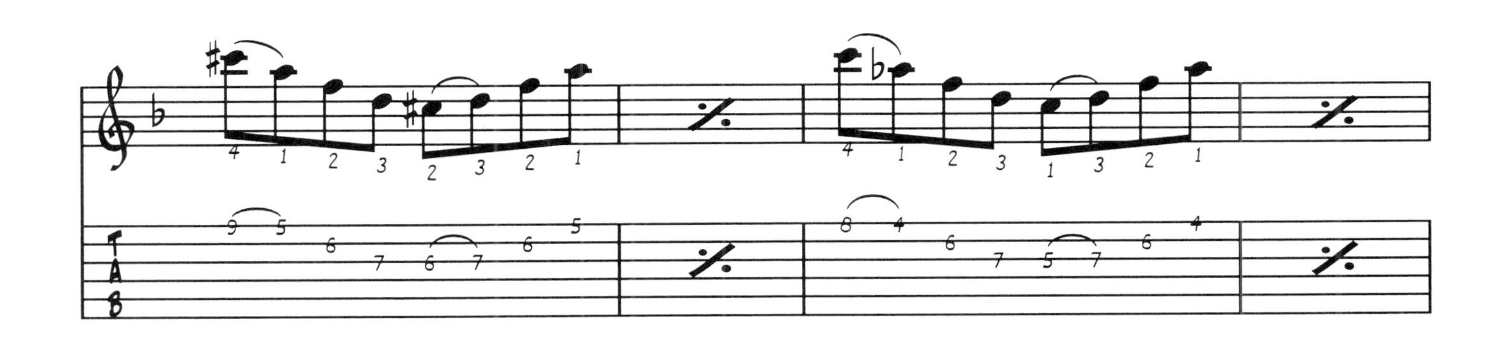

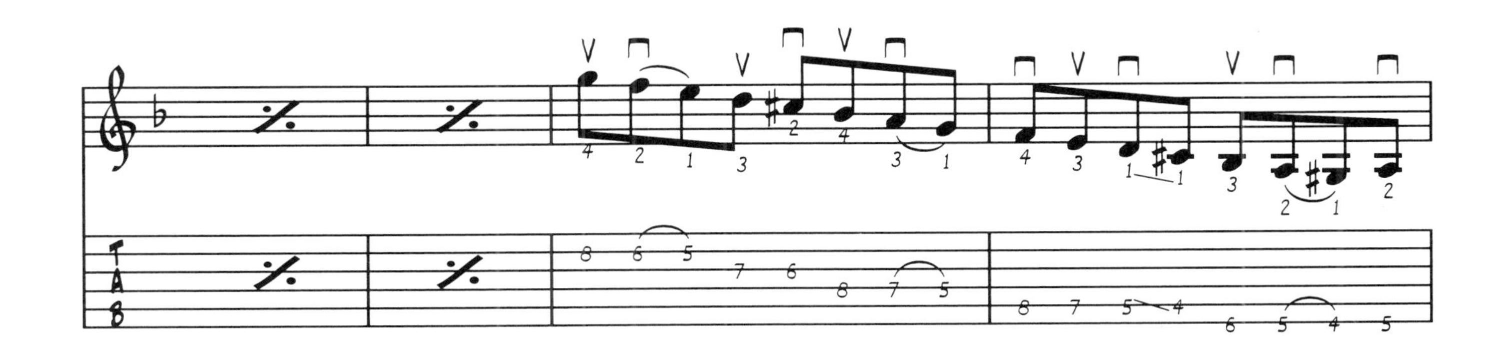

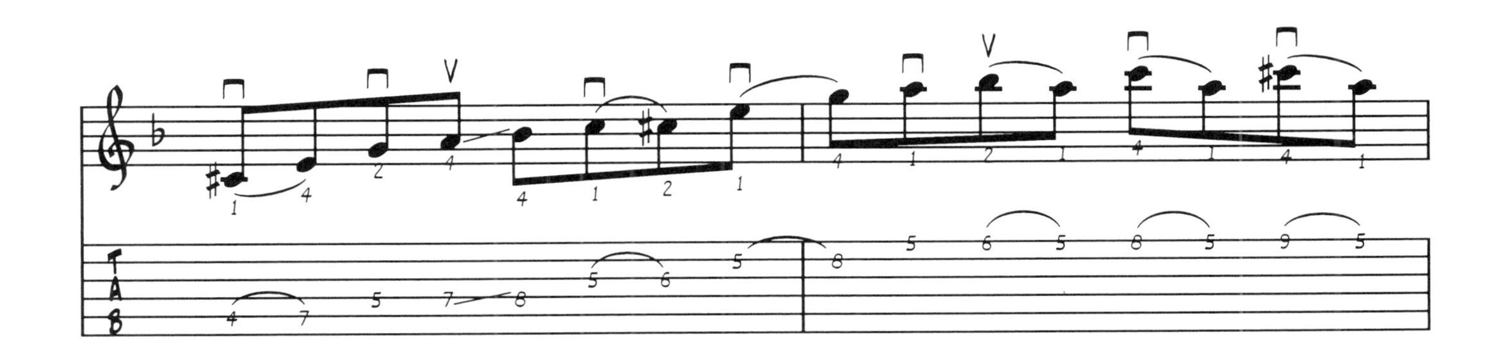

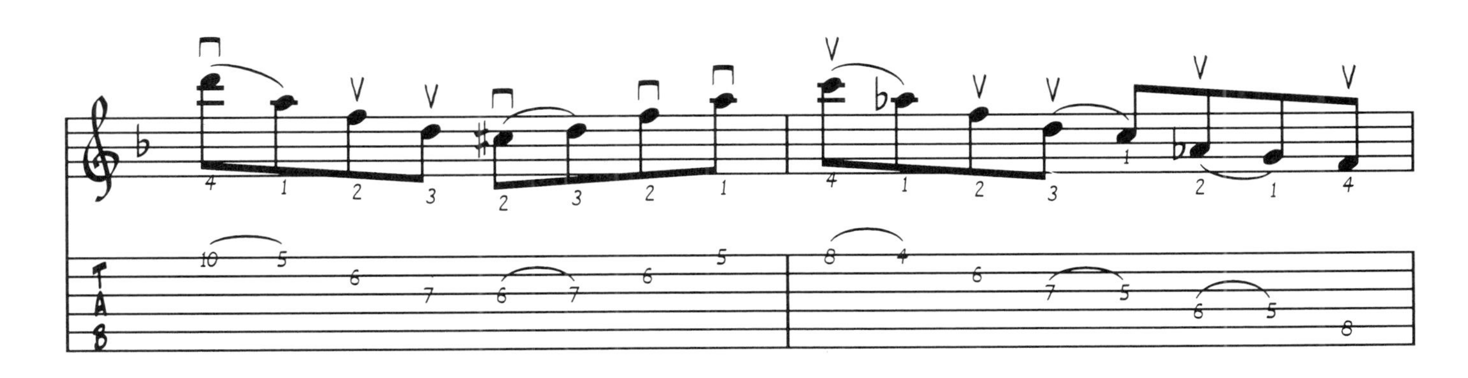

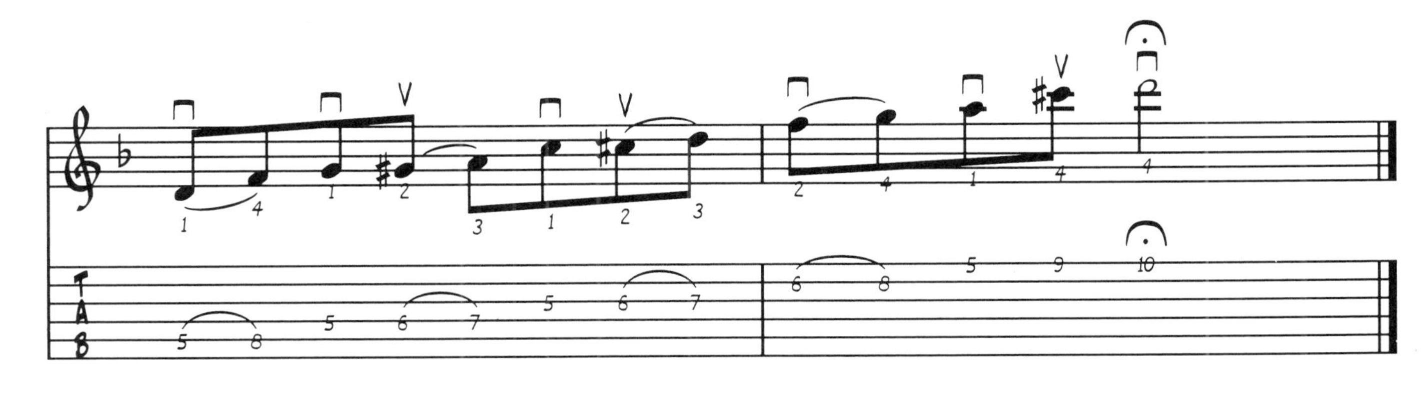

Meterman

Jim Kelly

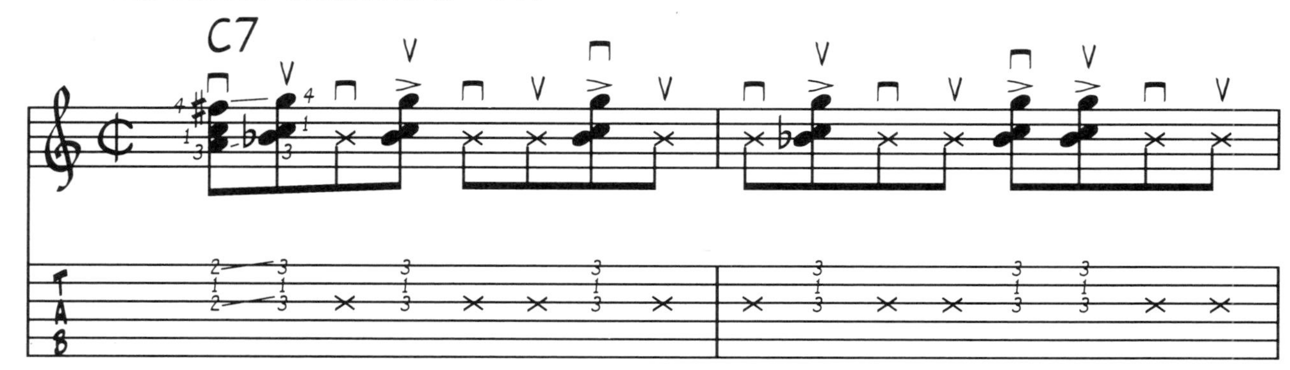

(Continue groove with variations)

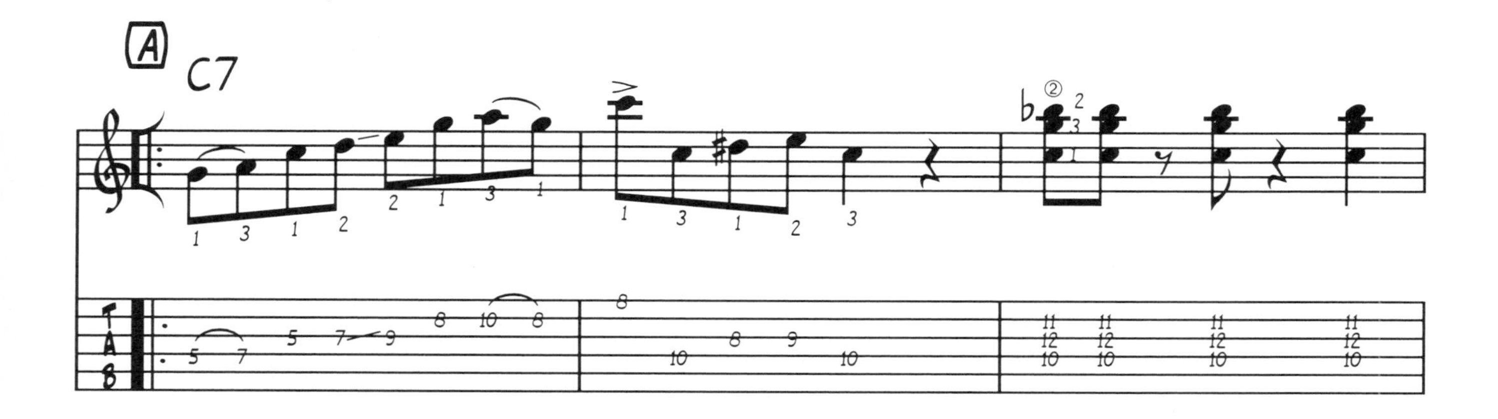

FORM: Intro (16 bars) head, interlude, head. Solos on C7. After solos interlude, head, head (omit interlude).

Eb
Bb
Bb
F
Eb
C
Eb
Bb
Bb
F
TAG LAST TWO BARS FOR ENDING
Eb
C
(FINE)
INTERLUDE (LIKE INTRO)
SOLO ON C7 (4-BAR VAMP)
C7
8

MUTT & JEFF

JIM KELLY

FAST JAZZ/ROCK (♩ = 152)

INTRO

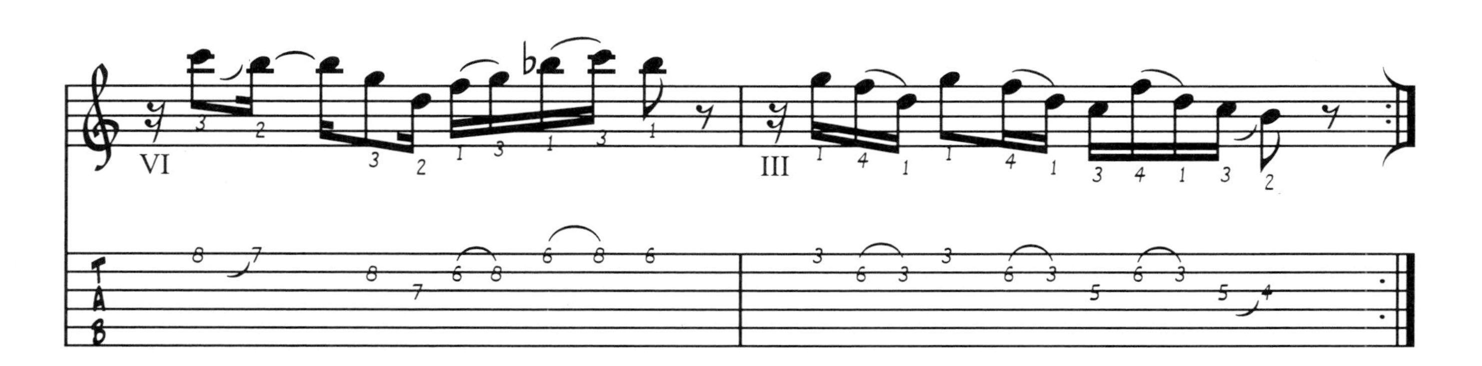

FORM: INTRO (8 BARS) HEAD (2 TIMES), SOLOS ON FORM. AFTER SOLOS INTRO (4 BARS), HEAD (2 TIMES), TAG LAST 8 BARS UNTIL FINE.

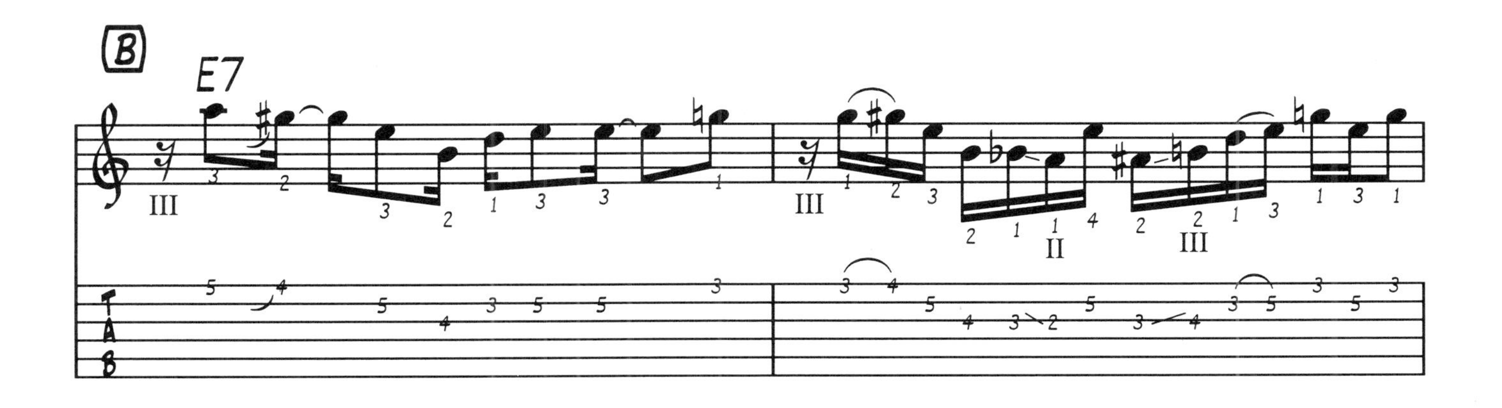
B
E7
III
II
III

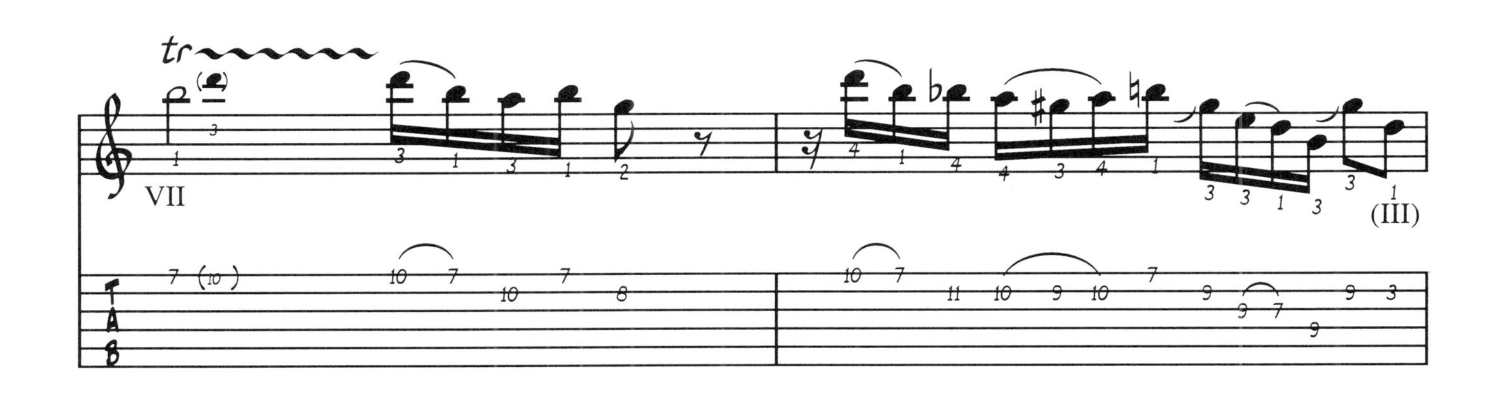
tr
VII
(III)

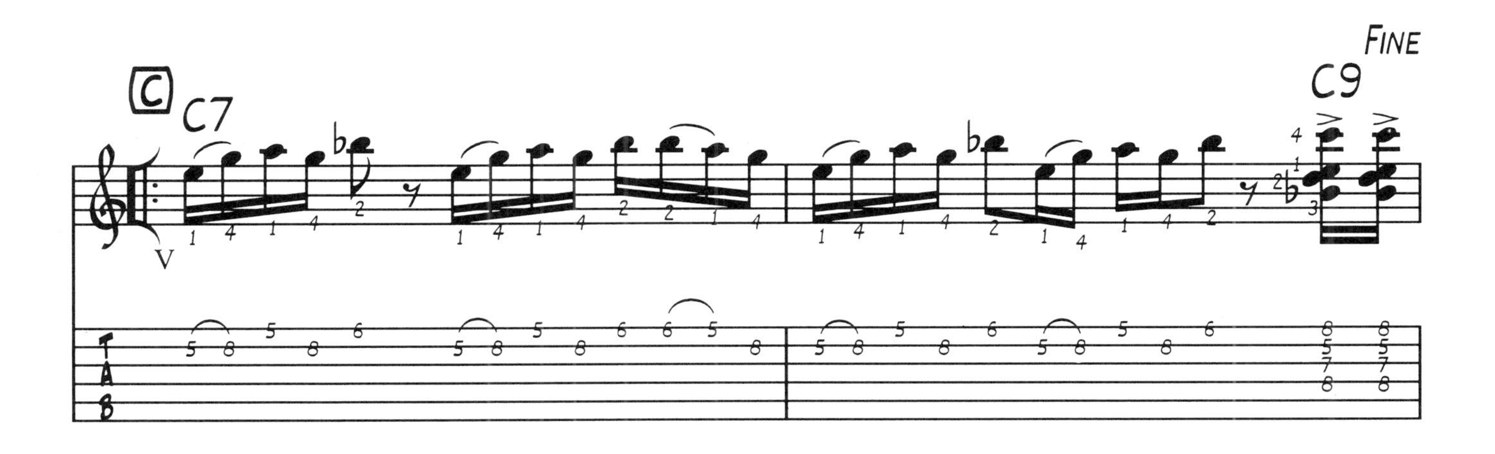
C
C7
V
FINE
C9

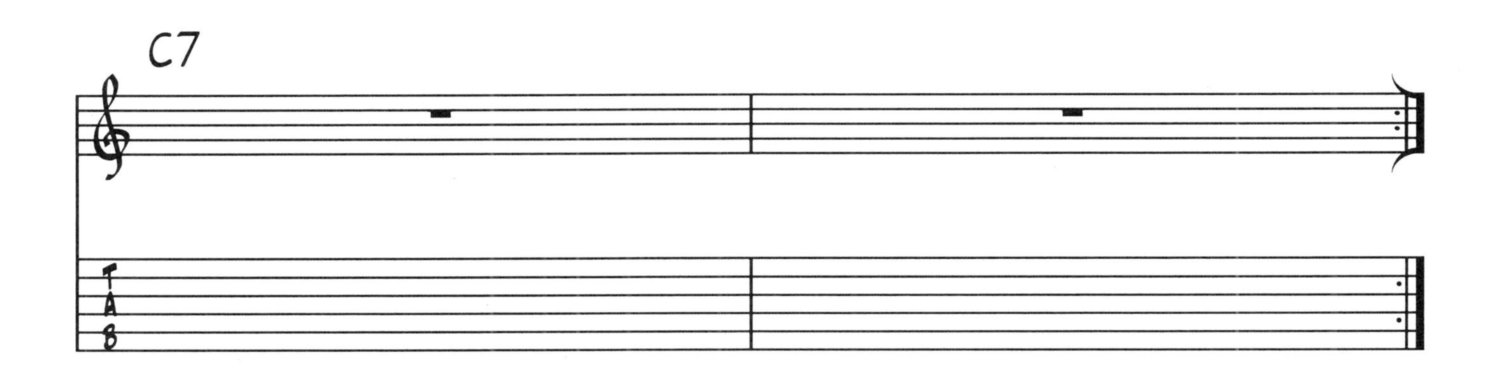
C7

Used Blues

Jim Kelly

Medium Shuffle Blues (♩ = 120)

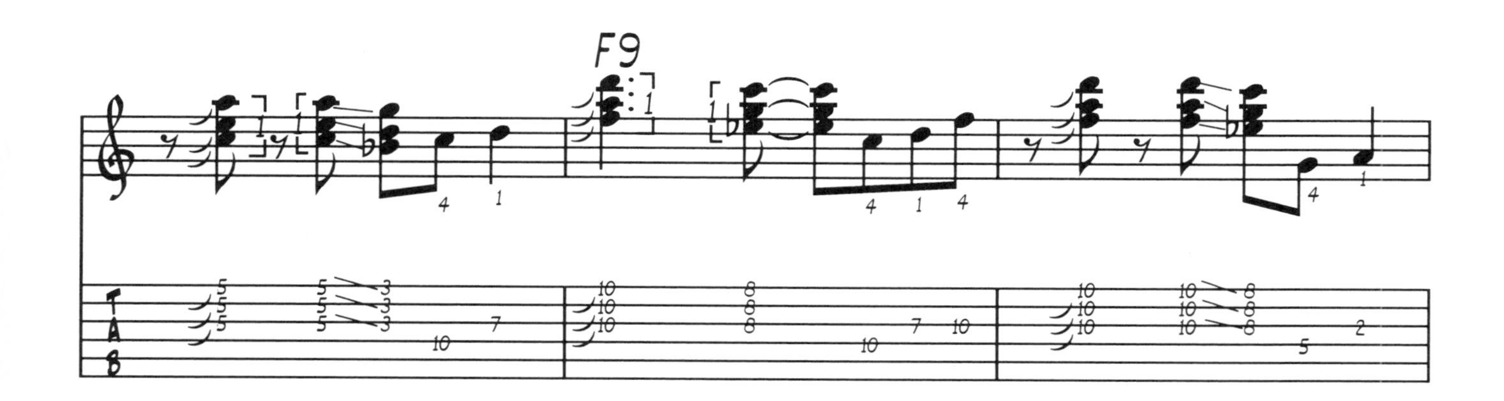

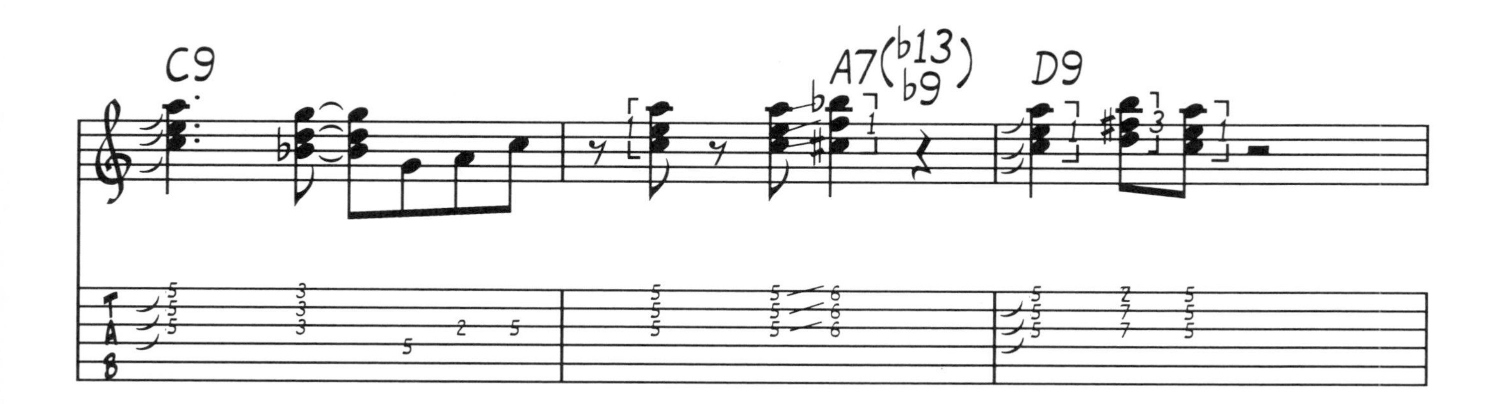

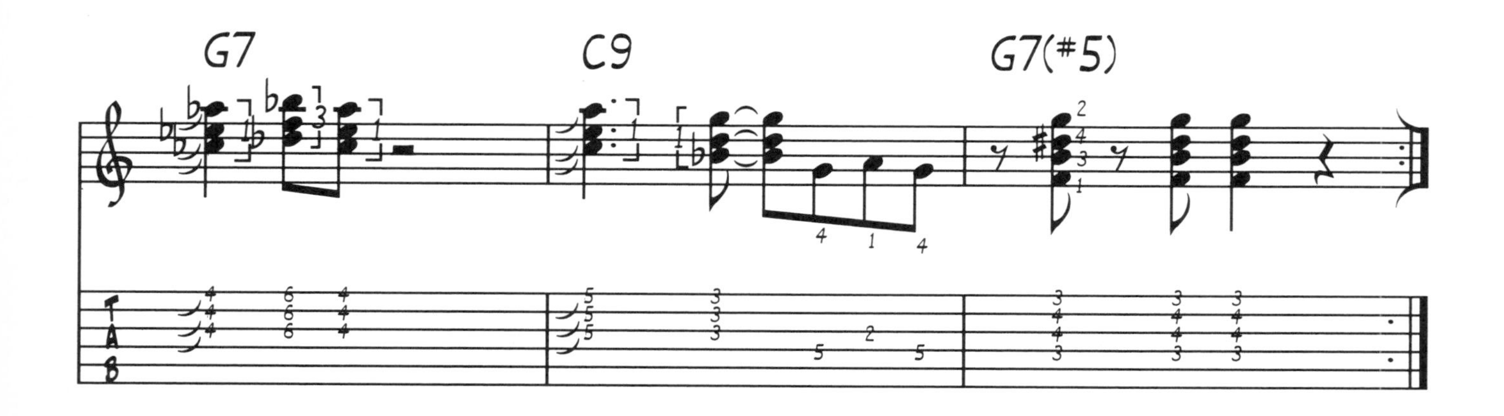

Song for an Imaginary Vocal

(Acoustic Style)

Jim Kelly

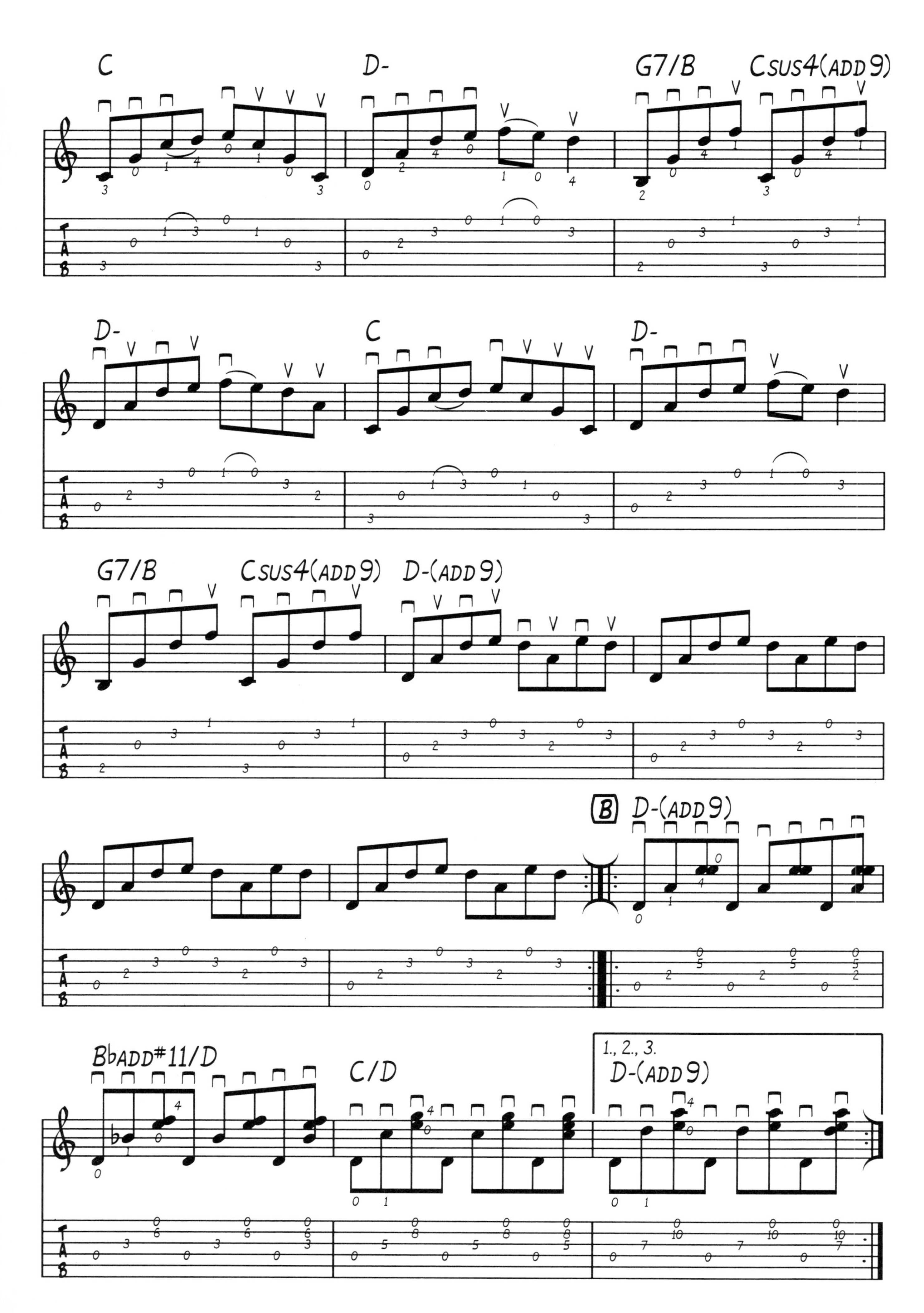
C
D-
G7/B
Csus4(add9)
D-
C
D-
G7/B
Csus4(add9)
D-(add9)
B
D-(add9)
B♭add#11/D
C/D
1., 2., 3.
D-(add9)

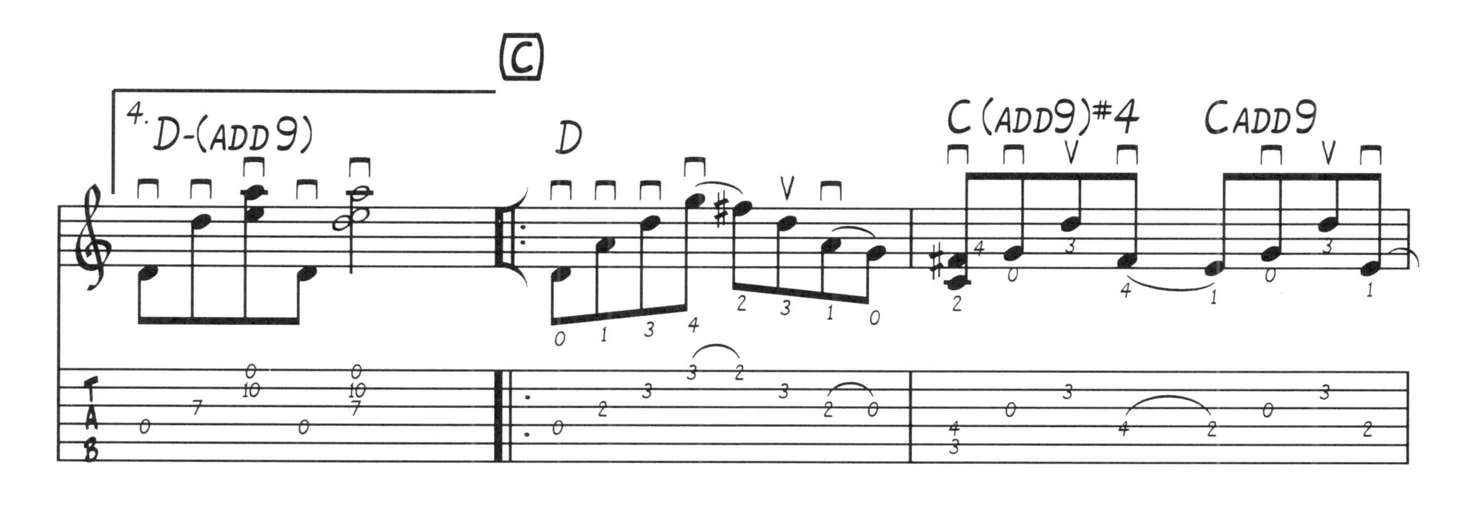

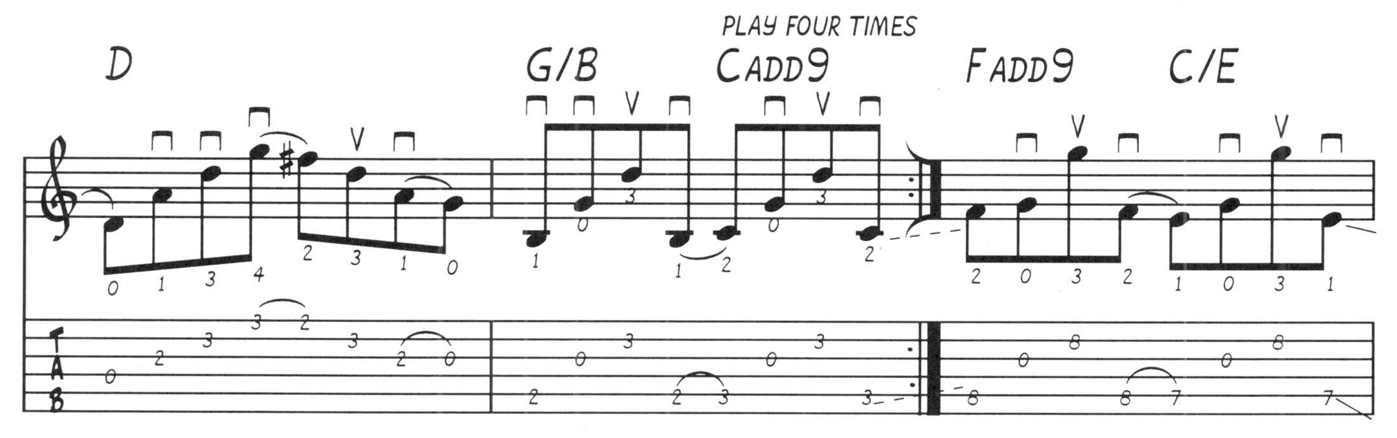

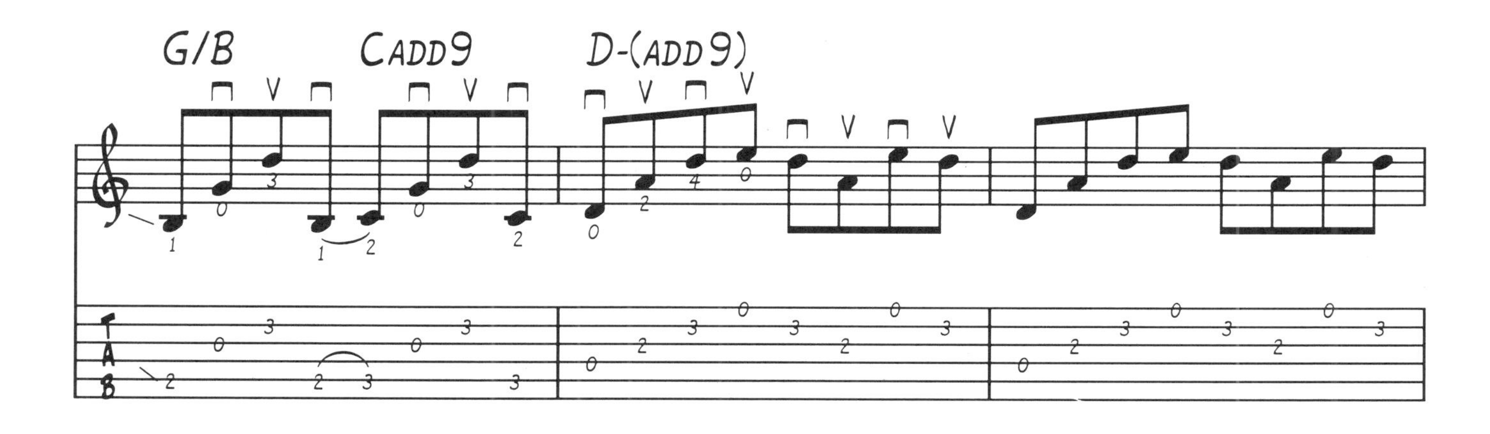

NOTE: THE D-(ADD 9) VOICING USED IN THIS PIECE OMITS THE MINOR THIRD.
AN ALTERNATE PICKING CHOICE FOR MEASURE 1 IS ⊓ ⊓ ⊓ ⊓ V V ⊓ V.

Latin-Style Blues

Jim Kelly

NOTE: Fingering will be the same for Latin-Style Blues Variation.

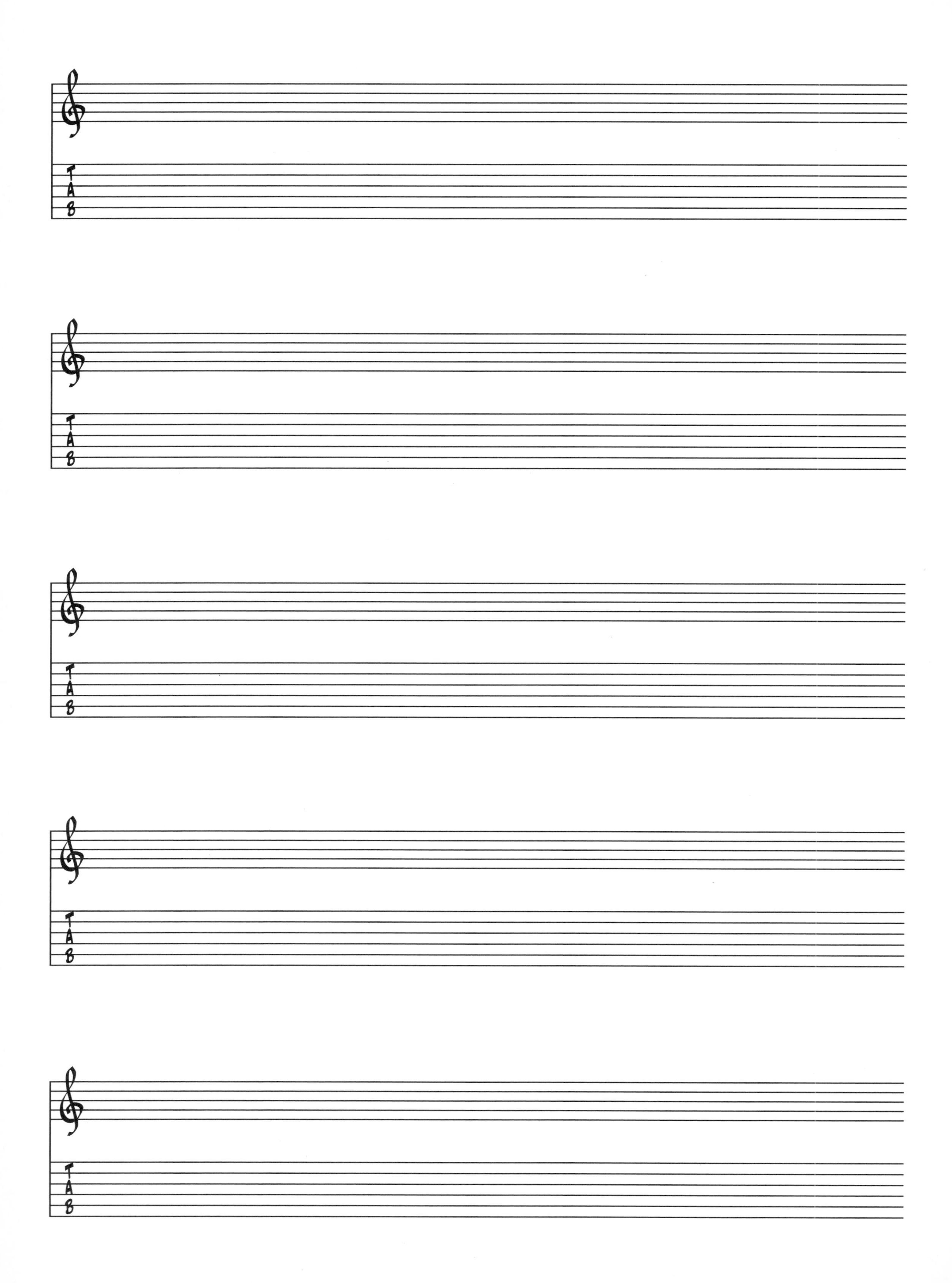

T
A
B
T
A
B
T
A
B
T
A
B
T
A
B

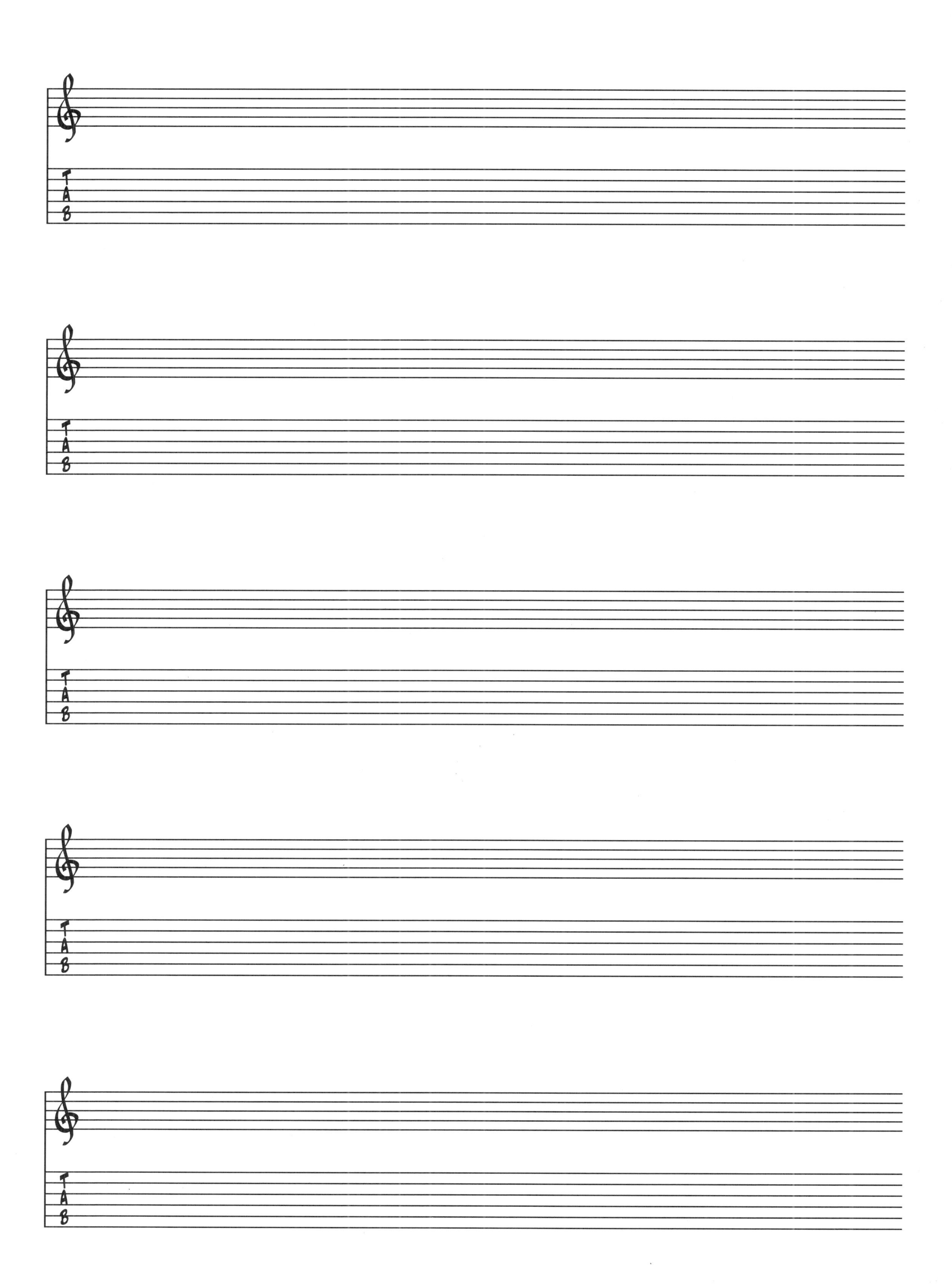

関連商品通信販売のご案内

❍直輸入版❍
DVD(video)版／ギター・ワークショップ
日本語音声付

メソッド関係では初めてのDVD版
ジム・ケリーのプライベート・レッスンを日本語音声で!!

テキストの内容に沿って、テクニック、アプローチ、理論をさらに奥深く解説。紙面では説明できない部分を詳細に教えてくれる。

DVDのアングル切り替え機能を利用して、ジム・ケリーの右手（ピッキング・ワーク）のアップ、左手（コード・ワーク、フィンガリング・ポジション、アーティキュレーション・テクニック）のアップを自由自在に見ることができる。**(over 90 - minutes)**

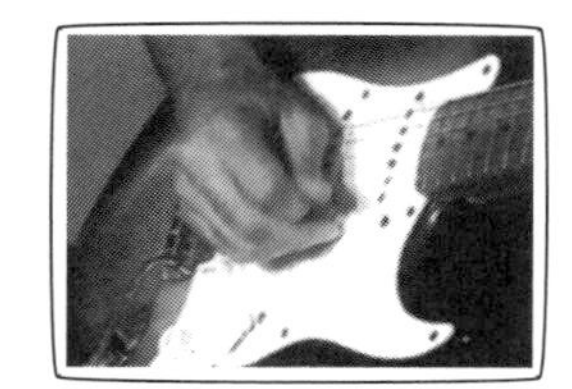

❍直輸入版❍
ビデオ版／ギター・ワークショップ

❍直輸入版❍
ビデオ版／モア・ギター・ワークショップ

★英語ヴァージョンのみ★

まさにジム・ケリーのプライベート・レッスン

テキストの内容に沿って、テクニック、アプローチ、理論をさらに奥深く解説。紙面では説明できない部分を詳細に教えてくれる。

(over 70 - minutes)

以上の商品は通信販売のみのお取り扱いとなります。
直接、エー・ティー・エヌまでお問い合わせください。

ATN, inc.

モア・ギター・ワークショップ

Jim Kelly's
More **guitar**
Workshop

発 行 日　2000年 7月20日（初版）
著　　者　Jim Kelly
翻　　訳　布施 明仁
発行・発売　株式会社 エー・ティー・エヌ

住　　所　〒161-0033
東京都新宿区下落合 3-12-21 目白エミネンス 102
TEL 03-6908-3692 / FAX 03-6908-3694

3259

ISBN4-7549-3259-5